无限的想象，丰富的情感。

在故事的世界里，孩子就像在父母的怀中那样温暖、愉悦和舒适。

名家精绘本

幼儿365睡前故事 上

专家
寄语年轻父母

这套图书由国内著名的童话作家武玉桂、葛冰、张秋生、冰波、孙幼忱、张春明编写故事，国内多位一流的儿童插图画家绘制图画，是一套高水平的"名家精绘本"幼儿睡前故事。

幼儿时期正是认识世界、增长知识的重要时期。美丽的童话故事可以陶冶孩子的性情，提高孩子的审美情趣和个人素质。给幼儿提供适合他们阅读的精神产品非常重要。这套《365幼儿睡前故事》是专门为幼儿量身打造的。当代科学研究证明：睡前时段的阅读对幼儿的成长至关重要。在孩子入睡前，爸爸、妈妈和孩子一起欣赏一段故事，这其实就是最好的亲子教育。

《365幼儿睡前故事》365天给予幼儿爱与美的温馨故事，并同步发展孩子语言、智力、心理等多元智能，是幼儿成长必备的家庭教育读物。

目录

葛冰童话

葛冰　我国著名的儿童文学作家，中国作家协会会员。他的大量童话作品被改编成动画片，出版过数十本书，作品曾获中国作协优秀儿童文学作品奖，台湾"好书大家读"佳作奖，宋庆龄文学大奖等。

紧急电话 2
　睡前读儿歌　打电话 7

木屋边上的小蘑菇 17
　睡前读儿歌　蘑菇房 20

三只老鼠种树 39
　睡前猜谜语　老鼠 45

一筐青草 92

武玉桂童话

武玉桂 中国作家协会会员,已出版童话集和各种低幼读物100多本。多部作品被拍摄成动画片。童话作品多次获奖,并曾在美国、日本、新加坡、台湾等地出版或发表。

好主意 · · · · · · · · · · · · · · · 8
睡前读儿歌 小熊投铅球 · · · · · · · · · · · · 11

老巫婆 · · · · · · · · · · · · · · · 22
睡前读儿歌 凑十歌 · · · · · · · · · · · · 27

飞呀飞 · · · · · · · · · · · · · · · 33
睡前读儿歌 自己玩 · · · · · · · · · · · · 35

啄木鸟嘟嘟 · · · · · · · · · · · · 56
睡前读儿歌 保护眼睛 · · · · · · · · · · · · 59

南瓜星上的孩子 · · · · · · · · · · · 64
睡前读儿歌 自己洗一洗 · · · · · · · · · · · · 67

恐龙"其其卡" · · · · · · · · · · · · 68
睡前读儿歌 说话 · · · · · · · · · · · · 71

小乌龟找工作 · · · · · · · · · · · · 80

公主的猫 · · · · · · · · · · · · · · · 96
睡前读儿歌 小猫学老虎 · · · · · · · · · · · · 99

长尾巴 · · · · · · · · · · · · · · · 104
睡前读儿歌 老鼠读书 · · · · · · · · · · · · 107

美妙的音乐 · · · · · · · · · · · · 130

小镇警官 · · · · · · · · · · · · · · · 133
睡前读儿歌 宝宝当警察 · · · · · · · · · · · · 137

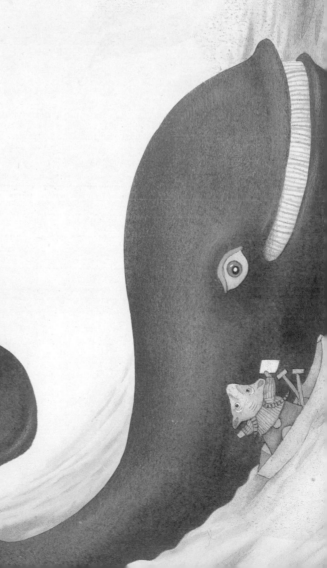

冰波童话

冰波　本名赵冰波,创作以童话为主,主要作品有:童话集《冰波童话》,中篇童话《怪蛋之谜》,长篇童话《阿笨猫全传》等。作品曾获全国"五个一工程"奖、国家图书奖、全国优秀儿童文学奖、宋庆龄儿童文学奖、冰心儿童图书新作奖等奖项。

屋顶的草坪 · · · · · · · · · · · · 12

睡前读儿歌　小河当姥姥 · · · · · · · · · · · · 16

蛤蟆的明信片 · · · · · · · · · · · · 36

傻小熊和马铃薯 · · · · · · · · · · · · 54

长寿面 · · · · · · · · · · · · 60

阿笨猫开书店 · · · · · · · · · · · · 120

睡前读儿歌　小花猫 · · · · · · · · · · · · 123

张秋生童话

张秋生　中国作家协会会员,已出版诗歌、散文、童话等作品集70多种,作品曾获中国优秀儿童文学奖、宋庆龄儿童文学奖、冰心图书新作奖、陈伯吹儿童文学奖及台湾杨唤儿童文学奖等。

特大号雪橇 · · · · · · · · · · · · 30

睡前猜谜语　雪花 · · · · · · · · · · · · 32

会讲恐怖故事的鳄鱼 · · · · · · · · 74

睡前读儿歌 老鼠说胡话 · · · · · · · · · · 79

淘气的小海鱼 · · · · · · · · 88

睡前读儿歌 小小鱼儿冲浪来 · · · · · · · 91

楼下的朋友 · · · · · · · · · · 112

孙幼忱童话

孙幼忱 国家一级作家。1958 年开始从事儿童文学创作。出版有《小狮狮历险记》等 19 本书，发表短篇儿童文学作品一千余篇。

"小伞兵"和"小刺猬" · · · · · · · · 86

世界著名童话

这是我们精选的一组世界著名童话，可以给孩子以美的熏陶、爱的启迪和无尽的想象，是孩子们成长的精神养料；可以增加他们的知识积累，带给他们最早的文学启蒙。

自私的巨人 · · · · · · · · · · 46

睡前读儿歌 找春天 · · · · · · · · · · · · · 51

狐狸列那的故事 · · · · · · · · 100

睡前读儿歌 我爱我的好妈妈 · · · · · · 103

红蜡烛和美人鱼 · · · · · · · · 108

睡前读儿歌 冬爷爷 · · · · · · · · · · · 111

小狐狸买手套 · · · · · · · · 116

睡前读儿歌 手套 · · · · · · · · · · · · · 119

穿靴子的猫 · · · · · · · · · · 124

亲子游戏

这是我们为孩子精心设计的一组多元智能游戏。它通过迷宫、找不同等多种儿童喜爱的游戏形式，从多个角度帮助年轻的父母通过轻松、快乐的亲子互动游戏，开发孩子的智力。

谁被施了魔法 · · · · · · · · · · 28

老鼠来过了 · · · · · · · · · · 52

长寿面 · · · · · · · · · · · · · 72

杂技团里真热闹 · · · · · · · · 94

一起去旅行 · · · · · · · · · · 114

抓小偷 · · · · · · · · · · · · · 138

紧急电话

文/葛冰　图/裴蕾

"啊啊啊……

黑鼠警长……"

　　小老鼠吱吱昂着头，大声唱着歌，这是他刚从收音机里学来的。不过，他把"黑猫警长"换成了"黑鼠警长"。突然，他发现前面翠绿的葡萄架底下，有一座挺漂亮的小木房子。他扒着窗口往里一瞧，咳，小床前面有张小桌子，上面有只粉色的小电话。

"谁家的房子这么漂亮？"小老鼠吱吱鼓着嘴巴，转着小舌头尖，看得挺眼熟。就在这时候，粉色的小电话丁零零响了，可没人接。吱吱来劲了，"这电话铃响得多急呀！"他赶紧一蹦蹦进去，抓起话筒喊：

"喂？喂？"

"喵！喵！"话筒里传来小猫的叫声，吓得吱吱一跳。但紧接着他放心了，原来是两只娇滴滴的小猫咪，为了一条小鱼在吵架，

3

他们把吱吱当成猫妈妈了。

吱吱一想，老鼠当猫妈妈，机会难得呀！于是他捏着鼻子叫了一声"喵"，接着说："我的小宝贝，不要吵，不要吵！"他学得还挺像呢，两只小猫一点儿没听出来是一只老鼠在跟他们说话，并告起状来。

"我要吃鱼头，给他鱼尾巴！"

"不！我要鱼头，给他鱼尾巴！"

他们在话筒里使劲儿地喊着，都想让"妈妈"护着自己。

"这个嘛……"吱吱装模作样地说，"大的让着小的，谁小谁吃鱼头！"他觉得这主意不错。

话筒里马上传来小猫们的声音："我们俩一般大！"

呦，是双胞胎啊！这可麻烦了。吱吱愁得直抓后脑勺，转着眼珠说："那就……胖的让着瘦的，谁瘦谁吃鱼头！"

5

“我们俩一般瘦！”两只小猫一齐说。

啊，这可怎么办？

吱吱差点儿丢下话筒。可当"妈妈"总不能扔下"孩子"不管呀！他拼命地想，脑门儿上都出汗了，慌里慌张地乱哼哼："那……那……当然是……好孩子让着点儿，让人家先挑才是好孩子。"

嘿！这个主意想得妙极了。

两只小猫一听，愣了，过了一会儿，他们才开口说话。

一只小猫说："你先挑吧！"

另外一只小猫说："还是你先挑吧！我应该让着你。"

他们都愿意做好孩子。

吱吱乐了，挤挤眼睛，尖着嗓叫："喵喵，你们都是妈妈的好孩子。"可紧接着，他吓得气都喘不过来了，他发现一只大花

？ 如果你接到两只小猫的电话，你会对他们说什么呢？

6

māo　　　　 zhēn de māo mā ma
猫——真的猫妈妈，
bù zhī shén me shí hou zhàn zài
不知什么时候站在
tā shēn hòu le　 zuǐ ba shàng de
他身后了，嘴巴上的
hú xū jǐ hū pèng dào tā de
胡须几乎碰到他的
wěi ba jiān
尾巴尖。

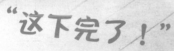
"这下完了！"

zhī zhī hún shēn duō suō　　 xiǎo pì gǔ dōu mào chū hàn
　　吱吱浑身哆嗦，小屁股都冒出汗
zhū lái
珠来。

bù yào pà　 wǒ bù chī nǐ　　 māo mā ma xiào mī
　　"不要怕！我不吃你！"猫妈妈笑眯
mī de shuō　　 nǐ zhēn xíng　 huì jiào yù hái zi　 wǒ kě
眯地说，"你真行，会教育孩子，我可
bù rú nǐ　 bǎ hái zi guàn huài le　 wǒ hái děi xiè xie
不如你，把孩子惯坏了。我还得谢谢
nǐ ne
你呢！"

月亮 晚安！

7

好主意

文/武玉桂　图/唐云辉

教育提示

这是一篇非常幽默的作品。小猪想出来的"好主意"使他自己的汽水和小熊的矿泉水都卖光了。看到这里,让人忍俊不禁！小朋友的天真、可爱,给我们的生活又增加了一份快乐。

gōng yuán dà mén kǒu　　yǒu liǎng liàng xiǎo tuī chē er　xiǎo zhū
公园大门口,有两辆小推车儿,小猪
zài dà mén zuǒ biān mài qì shuǐ　xiǎo xióng zài dà mén yòu biān mài kuàng
在大门左边卖汽水,小熊在大门右边卖矿
quán shuǐ
泉水。

tiān bù rè　yī diǎn er yě bù rè　méi rén mǎi qì shuǐ
天不热,一点儿也不热。没人买汽水,
yě méi rén mǎi kuàng quán shuǐ
也没人买矿泉水。

小猪喊："快来买汽水！
一块钱一瓶！"

小熊喊："快来买矿泉水！
一块钱一瓶！"

喊了半天，站了半天，
眼看着太阳就快要落山
了，小猪的五十瓶汽水连
一瓶都没卖掉；小熊的五
十瓶矿泉水也是一瓶都没
有卖掉。

小猪看看马路对面的小
熊，心想："小熊的生意真
不好！"小熊看看马路对面
的小猪，心想："小猪的生意
也不怎么样！"小猪和小熊
都愁眉苦脸，很不开心。

忽然，小猪说："哎——
我想出一个好主意！"

 宝宝找一找，在哪里？

9

就这样，小熊买小猪一瓶汽水，小猪
买小熊一瓶矿泉水；小熊买小猪两瓶汽
水，小猪买小熊两瓶矿泉水；小熊买小猪
三瓶汽水，小猪买小熊三瓶矿泉水……

不一会儿，小猪的五十瓶汽水都卖
光了，小熊的五十瓶矿泉水也都卖光了。

"明天见！""明天见！"

"吱扭！吱扭！"小猪和小熊各自推着
小车儿，高高兴兴地回家了。

月亮 晚安！

教育提示

一块特别的屋顶救了全村的动物。后来危险过去了,大家也要做这样的屋顶。不是为了防止危险再来,而是因为大家对这样的屋顶有特别的感情。

屋顶的草坪

文/冰波　图/大青工作室

xiōng dì shǔ zhù de sān céng xiǎo lóu　wū dǐng shì píng de
兄弟鼠住的三层小楼,屋顶是平的。

jiù yīn wèi wū dǐng shì píng de　měi dào xià tiān　zhù zài sān lóu de shǔ
就因为屋顶是平的,每到夏天,住在三楼的鼠

xiǎo xiǎo jiù shòu bù liǎo　rè sǐ la　rè sǐ la　tài yáng bǎ wū dǐng shài
小小就受不了。"热死啦,热死啦,太阳把屋顶晒

de xiàng píng dǐ guō yī yàng tàng le　shǔ xiǎo xiǎo jiào qǐ lái
得像平底锅一样烫了!"鼠小小叫起来。

shǔ dà dà xiǎng le gè bàn fǎ　dài lǐng shǔ lǎo èr hé shǔ xiǎo xiǎo　pá
鼠大大想了个办法,带领鼠老二和鼠小小,爬

dào wū dǐng shàng　zhòng shàng le lā lā cǎo　lā lā cǎo shì yī zhǒng yòu xì yòu
到屋顶上,种上了拉拉草。拉拉草是一种又细又

yǒu tán xìng　hái zhǎng de mì mì de cǎo　yòng lái zuò cǎo píng shì zuì bàng de
有弹性,还长得密密的草,用来做草坪是最棒的。

zhè yàng　xiōng dì shǔ de wū dǐng chéng le yī piàn lǜ lǜ de cǎo píng
这样,兄弟鼠的屋顶成了一片绿绿的草坪,

shǔ xiǎo xiǎo zài yě bù gǎn dào rè le
鼠小小再也不感到热了。

本来这个故事也完了，可是，没想到后来发生了一场灾难，于是就又有了下面的故事：

快到秋天的时候，忽然下了三天三夜的暴雨，结果就发大水了。村里到处是水，可水还在不断地涨高。涨啊涨啊，淹没了门，淹没了窗，最后，整个小楼全都被水淹没了。

你能找到 吗？

13

兄弟鼠先是跑到二楼，接着再跑到三楼，当水把房子都淹没的时候，他们就只好跑到屋顶上去了。

兄弟鼠就坐在屋顶的草坪上，等着大水退去。

就在这个时候，村里的邻居们都挣扎着向这边游，爬到草坪上来了。原来，他们的房子都被大水淹没了，而他们的屋顶都是尖尖的，又没有草坪，所以坐不住。

"真是救命的草坪啊！"

凡是在草坪上避难的邻居们都这么说。

最后，整个草坪都站满了，一点空儿也没有留下。

数一数，第 15 页的
图中一共有多少个动物？

15

要不是爸爸们都把孩子顶在头上，或者让孩子骑在肩膀上，这个草坪肯定是站不下的。

全村只有这一块屋顶草坪，而就是这块屋顶草坪，救下了全村的动物。

大水终于退去了。

当大家回到村里修理被水冲坏的房子的时候，第一件要做的事，就是把尖尖的屋顶，改成平平的屋顶，就像兄弟鼠的小楼一样。

兄弟鼠可忙坏了，现在，他们得一家一家跑，去指导邻居们怎么来种屋顶的草坪。

睡前读儿歌

小河当姥姥
青蛙生宝宝，
蜻蜓生宝宝，
生下小宝宝，
妈妈不管了。
谁来看宝宝？
小河当姥姥。

（张春明）

木屋边上的小·蘑菇

文/葛冰　图/裴蕾

教育提示

故事中的小蘑菇通过自己的努力，终于得到了别人的认同。其实这一点我们每个人都能做到——只要努力！

下雨啦！淅淅沥沥的雨滴把地皮浇得湿湿的，又松又软。一株小蘑菇，拱啊拱啊，从小木屋旁边的土里探出头来。它太小了，才有一粒米大。一只小蚂蚁爬过木屋的门槛，看见了小蘑菇，说："这株蘑菇真小哇！"

小蘑菇说：“别小瞧人，我还要往高长呢。”于是它使劲拱啊拱啊，又伸胳膊又蹬腿，它的身体变大了，像一个小瓶盖。

一只蟋蟀蹦蹦跳跳地经过木屋，看见小蘑菇说：“嘻嘻，这蘑菇真够小的，给我当板凳倒挺合适。”

小蘑菇撅起了嘴，心想：“我才不当板凳呢，我还要使劲往高长。”于是它又拱啊拱啊，用力把身体舒展开。小蘑菇又变大了，胖胖乎乎的，像个馒头。一只老鼠来了，用鼻子闻闻，皱着眉头说：“原来是株小蘑菇呀，呸！我还以为是香馒头呢。”

小蘑菇挺生气，说我小还不算，还“呸”，真瞧不起人，我要争口气，长得大大的。小蘑菇又使劲拱啦。这回它长得像一个

mù pén dà le   yuán yuán de   yī tiáo xiǎo hēi gǒu yáo
木盆大了，圆圆的。一条小黑狗摇
zhe wěi ba wéi zhe tā zhuàn le liǎng quān xiào mī mī de
着尾巴围着它转了两圈，笑眯眯地
shuō   hēi xiǎo mó gu zhēn hǎo wán
说："嘿，小蘑菇，真好玩。"

读完故事回忆一
下，小蘑菇是怎样一点
点儿长成大蘑菇的？

小蘑菇撅着嘴巴想："说我好玩，这叫什么话，我才不愿意光好玩呢，我要当大蘑菇。"

小蘑菇拼命地长，长得和木屋一般高了。一个小姑娘从小木屋里跑出来，仰起脸来看小蘑菇，她想说："小蘑菇真大呀！"可是，她有点儿结巴："小小小……蘑……菇……"她一连说了三四个"小"字。小蘑菇听了可不服气啦，它想："怎么还说我小哇，真是气人。"

小蘑菇把吃奶的劲儿都使出来了。它长得更高更快了，高过了小木屋，高过了大树顶，就像一把大伞把整个森林都盖住了。

人们都仰脸看着它，佩服地说："这蘑菇真能长，真大呀！"

这回，小蘑菇乐了。嘿嘿，再也没人说它小了。

睡前读儿歌

蘑菇房

雨刚停，雷还响，
松树底下盖新房。
圆圆柱子，圆圆顶，
新房盖了一大片。
涂上绿，加点黄，
新房真漂亮。
松树的花粉洒下来，
屋里屋外喷喷香。

月亮，晚安！

老巫婆

文/武玉桂 图/程思新

森林里有一棵古老的大树，树洞里住着一个五百多岁的老巫婆。老巫婆白发苍苍，脸上布满了皱纹，可是看上去她一点儿也不像老祖母那样慈祥，这是因为她的心肠特别狠毒。

老巫婆喜欢捉弄小动物，她的法术很厉害。

有一天，一条小蛇从枯树前经过，不留神，被老巫婆逮住了。

小蛇在老巫婆的手中簌簌发抖。老巫婆问小蛇："你有几个脑袋？"小蛇怯怯地回答："一个。""好，我再给你加一个！"说罢，老巫婆念了句咒语，然后朝小蛇吹口气——

1 + 1 = 2

哇，可怜的小蛇变成了双头蛇，连路也不会走了。

23

这时，又有一只美丽的翠鸟落在了枯树枝上，想休息一下。没料到，它也被老巫婆逮住了。老巫婆问翠鸟："你有几只爪子？"翠鸟小声说："两只。""好，我再给你加两只！"老巫婆又念了句咒语，然后朝翠鸟吹口气——

$$2+2=4$$

长着四只爪子的翠鸟怎么拍翅膀也飞不起来了。

24

yì zhī bái tù kàn bù guàn lǎo wū pó de zuò fǎ quàn tā bù yào ná xiǎo dòng wù
一只白兔看不惯老巫婆的做法，劝她不要拿小动物
xún kāi xīn lǎo wū pó chěng qì le cháng cháng de bái fà piāo le qǐ lái tā mà bái
寻开心……老巫婆生气了，长长的白发飘了起来。她骂白
tù hǎo gè sān bàn zuǐ jū rán gǎn pī píng wǒ wǒ zài gěi nǐ jiā sān bàn
兔："好个三瓣嘴，居然敢批评我？我再给你加三瓣！"

$$3 + 3 = 6$$

liù bàn zuǐ de bái tù méi bàn fǎ
六瓣嘴的白兔没办法
chī cǎo le kàn zhe bèi biàn chéng chǒu bā guài
吃草了。看着被变成丑八怪
de xiǎo shé cuì niǎo hé bái tù lǎo wū
的小蛇、翠鸟和白兔，老巫
pó kāi xīn de dà xiào hā hā hā qiáo
婆开心地大笑："哈哈哈，瞧
wǒ de fǎ shù duō lì hài
我的法术多厉害！"

25

趁老巫婆狂笑，一条鳄鱼突然扑上来，咬住了老巫婆的脚后跟。鳄鱼心里说：我拼了命，也要为民除害，消灭这个老巫婆！

老巫婆疼得哇哇叫，她大声喊："四条腿的鳄鱼快松口！不然，我再给你加四条腿！"

4 + 4 = 8

bā tiáo tuǐ de è yú kěn dìng bù huì yóu yǒng le kě shì è yú
八条腿的鳄鱼肯定不会游泳了。可是鳄鱼

bù pà tā réng rán jǐn jǐn de yǎo zhe lǎo wū pó
不怕，它仍然紧紧地咬着老巫婆……

chōng a zhè shí liǎng gè nǎo dài de xiǎo shé sì zhī zhuǎ zi
"冲啊!"这时，两个脑袋的小蛇，四只爪子

de cuì niǎo hé liù bàn zuǐ de bái tù dōu yǒng gǎn de pū shàng lái
的翠鸟和六瓣嘴的白兔都勇敢地扑上来……

dà jiā yī qí dòng shǒu yǎo
大家一齐动手，咬

de yǎo zhuā de zhuā zhuó de zhuó
的咬，抓的抓，啄的啄，

hěn kuài jiù bǎ lǎo wū pó dǎ sǐ le
很快就把老巫婆打死了!

lǎo wū pó bèi xiāo miè le
老巫婆被消灭了，

mó fǎ pò chú le dà jiā yòu huī
魔法破除了。大家又恢

fù le yuán lái de mú yàng
复了原来的模样。

谁被施了魔法

老巫婆的法术实在太厉害了,不但能变多,还能变少。看一看,找一找,这些动物都多了什么?少了什么?

28

游戏目的:训练孩子对图片敏锐的观察能力。

29

特大号雪橇

文/张秋生　图/唐云辉

冬天来了，下了一场好大好大的雪。

雪给森林和山坡披了厚厚的银装。

一年一度的森林滑雪节开始了。小动物们翻找出珍藏了一年的雪橇，来到雪地上滑雪。他们在雪地上飞快地奔驰着，还滑出各种好看的姿势，让人看了赞叹。

只有大象阿波在一边呆呆地看着。

因为他刚来这片森林不久，还不会滑雪，再说他也没法找到那么大的雪橇。在一边看着别人滑雪的，还有一只躲在松树上的鸫鸟。鸟儿们无法用上雪橇，是从来也不参加滑雪的。

正在这时，有只黑猫抱着一副巨大的雪橇跑来，他对大象阿波说："从你来到我们森林的那一天，我就在为你制作一副特大号的雪橇，我要在大雪天里给你一个惊喜。"

大象阿波高兴地接过雪橇，在黑猫的指导下，他不一会儿就学会了滑雪。大象阿波在雪地上飞快地滑行着。这时，那只呆

？ 冬天大雪过后，你都喜欢玩什么游戏呢？

31

zài shù shàng de dōng niǎo fēi luò zài dà xiàng shēn shàng tā shuō
在树上的鸫鸟，飞落在大象身上。她说：
néng ràng wǒ hé nǐ yī qǐ gòng tóng xiǎng shòu huá xuě de kuài
"能让我和你一起，共同享受滑雪的快
lè ma
乐吗？"

dāng rán ràng wǒ men yī qǐ lái huá xuě ba
"当然，让我们一起来滑雪吧！"
zài yín sè de sēn lín lǐ zài yī qún huá xuě zhě zhōng
在银色的森林里，在一群滑雪者中
jiān dà xiàng hé dōng niǎo shì zuì kuài lè de dāng rán hái yǒu
间，大象和鸫鸟是最快乐的。当然，还有
nà wèi gēn zài dà xiàng hòu miàn huá dòng xuě qiāo de hēi māo tā
那位跟在大象后面滑动雪橇的黑猫，他
de xiào shēng yě shì huá xuě chǎng shàng zuì xiǎng liàng de
的笑声也是滑雪场上最响亮的……

睡前猜谜语

说它是花无人栽，
飘飘洒洒空中来。
六个花瓣真可爱，
满山遍野一片白。

（雪花）

月亮 晚会！

飞呀飞

文/武玉桂 图/安宏

教育提示

这是一篇富有时代气息,具有启发性的作品。那些动物虽没有翅膀,却能想出办法,一个个像鸟一样飞上蓝天,肯定会给你的宝宝留下深刻的印象。

看见小鸟在天上飞,小蚂蚁、小青蛙、小兔子、胖小猪还有大河马都很羡慕,他们也想飞。

戴着老花镜的乌鸦奶奶摇摇头:"你们没有翅膀,永远也飞不起来!"

"我偏要飞!"小蚂蚁说着,摘了一朵蒲公英当小伞。风儿一吹,蒲公英飞了起来,小蚂蚁高兴地大叫:"我飞起来喽!"

33

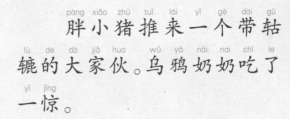

"我也试试看！"小青蛙吹了两个大气球。风儿一吹，大气球飞了起来。小青蛙高兴地大叫："我飞起来喽！"

小兔子用花绸布糊了一个美丽的风筝。风儿一吹，风筝飞了起来。小兔子高兴地大叫："我飞起来喽！"

胖小猪推来一个带轱辘的大家伙。乌鸦奶奶吃了一惊。

胖小猪告诉乌鸦奶奶，这是他制造的飞机。

34

胖小猪开着飞机上了天。他高兴地大叫："我飞起来了！"

这时，地面上只剩下大河马了。乌鸦奶奶看看大河马，叹口气，说："唉，你太胖了……"

河马制造了一艘飞船，他一按电钮："轰隆隆！"飞船飞上了天。

小蚂蚁、小青蛙、小兔子、胖小猪还有大河马都在天上飞。

乌鸦奶奶想了想，说："看来，只要肯动脑筋，谁都能飞起来！"

? 回忆一下，故事中的小动物们都用什么办法飞上了天？

睡前读儿歌

自己玩

燕子飞上天，
风筝追上天，
燕子去捉虫，
风筝自己玩。

（张春明）

月亮 晚安！

蛤蟆的明信片

文/冰波　图/唐云辉

xiāng xià　yǒu yī zhī hěn qióng de qīng wā　xīn nián kuài dào le　tā jiù kāi shǐ xiǎng
乡下，有一只很穷的青蛙。新年快到了，他就开始想

niàn zài yuǎn fāng de há má lǎo dì　qīng wā gěi há má lǎo dì xiě le yī fēng xìn　xìn shàng
念在远方的蛤蟆老弟。青蛙给蛤蟆老弟写了一封信。信上

shuō　　há má lǎo dì　wǒ hěn xiǎng niàn nǐ　duō xiǎng gěi nǐ jì yī zhāng měi lì de hè
说："蛤蟆老弟，我很想念你，多想给你寄一张美丽的贺

kǎ　dàn shì　wǒ méi yǒu qián mǎi hè kǎ　zhǐ néng xiě zhè fēng xìn
卡，但是，我没有钱买贺卡，只能写这封信。"

qīng wā zài míng xìn piàn shàng tiē le yóu piào　qīng wā xiàng
青蛙在明信片上贴了邮票。青蛙向

míng xìn piàn shēn shēn de wān le yī gè yāo　jiù suàn shì
明信片深深地弯了一个腰，就算是

36

向蛤蟆行了一个祝福的礼，然后把它投进了邮筒。"蛤蟆老弟，青蛙祝你新年快乐！"

小刺猬邮递员取信时，看到了这张明信片："啊，青蛙虽然穷，可是对朋友很诚心呀！"为了表示自己的心情，小刺猬在明信片上添画了一些绿绿的草地。

信被送到了邮局，邮局里的松鼠小姐看到这张明信片："啊，青蛙虽然穷，可是对朋友很诚心呀。"她也在明信片上添画了一些树叶和鲜花。

明信片在寄往蛤蟆家乡的路上，经过了很多人的手，大家都会看一看，然后大家都会往上面添画，表示一下自己的心情。

明信片不大，很快就画满了。于是，大家开始往上面扎绸带、粘花瓣，当然，还有洒香水的。最后，这封信终于送到了蛤蟆住着的乡村里。当蛤蟆拿到这张明信片时，他是多么高兴呀："天哪，我从来没有见过这么美丽的贺卡呀！"

这确实是一张最美丽的贺卡。

? 回忆一下，第37页的图中，有几个小动物往明信片上添画了内容？

38

三只老鼠种树

文/葛冰　图/大青工作室

　　三只老鼠连滚带爬地跑回洞里。他们浑身是土，一只断了尾巴，一只掉了半个耳朵，另一只鼻孔被抓破了，想起刚才被猫追的情景，他们的魂儿都快吓没了。

　　"为偷几粒炸花生米，险些把命丧掉，太不值了！"

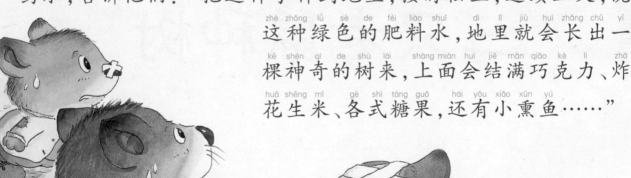

shǔ lǎo dà mǒ zhe tóu shàng de lěng hàn
鼠老大抹着头上的冷汗。

zhǐ yào yǒu bié de bàn fǎ nòng shí wù　 wǒ zhēn bù xiǎng
　　"只要有别的办法弄食物，我真不想
tōu le　 shǔ lǎo èr kǔ zhe liǎn shuō
偷了!"鼠老二苦着脸说。

kě xī　 wǒ men zhǎo bù dào dài tì tōu de bàn fǎ
　　"可惜，我们找不到代替偷的办法。"
shǔ lǎo sān yě fā chóu de sāo zhe nǎo dài
鼠老三也发愁地搔着脑袋。

jiù zài zhè shí hou tā men fā xiàn dòng de yī gè qī hēi de jiǎo luò lǐ tū rán liàng qǐ
　　就在这时候，他们发现洞的一个漆黑的角落里，突然亮起
le lǜ guāng yī gè lǜ de tòu míng de xiǎo lǎo tóu er tí zhe gè dà kǒu dài zhàn zài nà er wàng
了绿光。一个绿得透明的小老头儿，提着个大口袋站在那儿，望
zhe tā men lěng jìng de wèn　 yǒu dài tì tōu de bàn fǎ　 nǐ men yuàn yì gàn ma
着他们冷静地问："有代替偷的办法，你们愿意干吗？"

dāng rán yuàn yì　 sān zhī lǎo shǔ yì kǒu tóng shēng de shuō
　　"当然愿意!"三只老鼠异口同声地说。

xiǎo lǎo tóu er cóng kǒu dài lǐ qǔ chū yī lì liàng jīng jīng de zhǒng zi hé yī píng lǜ sè de
　　小老头儿从口袋里取出一粒亮晶晶的种子和一瓶绿色的
yào shuǐ gào su tā men　 bǎ zhè zhǒng zi zhòng dào dì lǐ àn shí sōng tǔ lián xù sān tiān jiāo
药水，告诉他们："把这种子种到地里，按时松土，连续三天，浇
zhè zhǒng lǜ sè de féi liào shuǐ dì lǐ jiù huì zhǎng chū yī
这种绿色的肥料水，地里就会长出一
kē shén qí de shù lái shàng miàn huì jiē mǎn qiǎo kè lì zhá
棵神奇的树来，上面会结满巧克力、炸
huā shēng mǐ gè shì táng guǒ hái yǒu xiǎo xūn yú
花生米、各式糖果，还有小熏鱼……"

三只老鼠听得眼珠都放光了,连小老头儿什么
时候消失的都没看见。他们决定照小老头的话办。

三只老鼠在灌木丛里找到一小块空地,用镐
刨地,用小铲子松土,把碎石子和小木棍什么的全

第一天

挑出去，再把亮晶晶的种子种到土里。一想到未来收获的情景，他们就格外兴奋，干得特起劲。

"剩下的就是浇绿色肥料水了，明天我先浇！"鼠老大说。

第二天

第二天，天还没亮，鼠老大便匆匆扛着绿色的瓶子来到灌木丛里。他打开瓶子盖，立刻有一股奇异的香味飘了出来，像是炸花生米，像是烤鸡，像是熏鱼……真是好闻极了。鼠老大馋得淌出口水来，他用舌尖舔了一点儿，太香了！他忍不住喝了一点儿，又喝了一点儿……一直到喝了瓶子的三分之一。

第三天

"我今天用浇水来代替吧，明天他们会浇这绿色肥料水的！"

鼠老大从河边打来一点儿水浇上去，真奇怪，土里马上就拱出了一个绿色的小芽芽。

第二天，鼠老二扛着小瓶来浇树，一打开瓶盖，他也被那奇异的味道吸引住了。"反正昨天浇过了，而且明天还要浇，少浇我这一点儿也看不出来。"鼠老二这样说着，也喝去了瓶子的三分之一，又在小绿芽上胡乱地浇了些水，小绿芽向上伸展着，长出了绿叶。

等到鼠老三来浇树时，又把剩下的最后一点儿绿色肥料水也全偷喝了，他认为，既然两个哥哥已经浇过，就足够了。

^{qí yì de shù zhōng yú zhǎng dà le shàng miàn jié mǎn le gè zhǒng xíng zhuàng gè zhǒng yán sè de}

奇异的树终于长大了，上面结满了各种形状、各种颜色的

^{guǒ zi xiàng qiǎo kè lì xiàng zhá huā shēng mǐ xiàng xiǎo xūn yú}

果子，像巧克力，像炸花生米，像小熏鱼……

^{sān zhī lǎo shǔ gāo xìng de shǒu wǔ zú dǎo zhè shì tā men de láo dòng guǒ shí wèi le zhòng}

三只老鼠高兴得手舞足蹈，这是他们的劳动果实，为了种

^{shù tā men fù chū bù shǎo xuè hàn ne tā men zhāi xià guǒ zi fàng dào zuǐ lǐ}

树，他们付出不少血汗呢。他们摘下果子，放到嘴里。

^{zěn me yī diǎn er bù xiāng}

"怎么一点儿不香？"

^{zěn me shì kǔ de}

"怎么是苦的？"

^{hǎo nán chī}

"好难吃！"

想一想，为什么三只老鼠不愿再偷东西吃了？

44

三只老鼠苦着脸说:"咱们受骗了,那老头儿说的全是假的!"

他们没有办法,就又去偷了,不过这回运气可不像上次,一直到鼠洞里生了蜘蛛网,再也没见到他们的影子。

45

自私的巨人

原著 / 王尔德(英国)　图 / 程思新

有一个巨人，他有一个漂亮的大花园。

巨人离开家已经七年了。有一天他回来了，一到家，看见孩子们在他的花园里玩，就大声吼道："你们在这儿干什么？"孩子们都吓跑了。

"我自己的花园就是我自己的花园！"巨人说，"除了我自己，我不许任何人在这里玩儿。"他在花园四周筑起一道高高的围墙，还贴出布告："禁止入内"。

孩子们没有玩的地方了，放学以后，他们在高墙外面转来转去，谈论着墙内美丽的花园。他们说：

"我们从前在那儿多么快乐啊！"

春天来了，大地上到处都开着花，到处都有小鸟儿在歌唱。然而在自私的巨人的花园里，仍然是一片冬天的景象。

一天早晨，巨人忽然听到一只小鸟儿在窗外歌唱。他很久没有听到小鸟儿的歌声了，所以他觉得这是世界上最美的音乐。这时，北风息了，雨也停了。

"我想相信春天来了！"巨人说着朝外面看去，他看见一幕美妙的景象：孩子们从围墙上的一个洞钻进花园里来了，坐在树枝上。每一棵树上都可以看到一个小孩。孩子们回来了，果树非常高兴，便用花朵把自己

装饰起来，鸟儿欢快地四处飞翔，歌唱，花儿在绿色的草丛中抬头张望。

一个小男孩站在花园最远处的角落里。他太小了，还够不着树枝，只好在树旁徘徊哭泣。那棵树仍然覆盖着满身冰雪。

"我多么自私啊！"巨人说，"现在我明白为什么春天总是不肯到这儿来了。我要把那个小男孩放到树上去，然后推倒围墙，把我的花园变成孩子们永远的游戏场。"巨人对自己以前所做的事确实感到后悔了。

巨人悄悄地打开门，走进花园。但是那些孩子一看见他，都吓跑了，只有那个小男孩没有跑，因为他的眼睛里含着泪水，没看见巨人走过来。巨人悄悄地走到他后面，轻轻地把他抱起来，放在树枝上。那棵树顿时开满鲜花，鸟儿也飞来了，在树上歌唱，小男孩伸出双手搂着巨人的脖子吻他。

别的孩子看到巨人现在不那么凶，不那么自私，又都跑回来了。

"孩子们，现在这是你们的花园了。"

为什么在巨人的花园里看不到春天的景象？

50

巨人说着就把围墙推倒了。

人们沿着大路进城的时候，发现巨人正和孩子们在他们从未见过的美丽的花园里玩儿呢。

51

老鼠来过了

三只老鼠没种成树,只好又干起了
老本行——偷东西。对照左图,你能从
右图中发现三只老鼠都偷走了什么吗?

游戏目的:训练孩子的观察
力和注意力。

53

教育提示

故事中的牛大伯真有办法,他让一个马铃薯变成了一大堆。讲故事给孩子听的时候,可以教育他掌握1和许多的概念。同时,也可以让孩子明白劳动的重要性。

傻小熊和马铃薯

文/冰波 图/张晓夜

yǒu yī tiān niú dà bó wèn le shǎ xiǎo xióng yī gè qí guài de wèn tí
有一天,牛大伯问了傻小熊一个奇怪的问题:

yī gè mǎ líng shǔ zěn me yàng cái néng biàn chéng yī dà duī ne
"一个马铃薯怎么样才能变成一大堆呢?"

shǎ xiǎo xióng shuō zhè gè wèn tí tài jiǎn dān le qiáo
傻小熊说:"这个问题太简单了。瞧,

wǒ biàn gěi nín kàn
我变给您看。"

shǎ xiǎo xióng jiāng yī gè mǎ líng shǔ qiè chéng xiǎo kuài er
傻小熊将一个马铃薯切成小块儿,

duī zài yī qǐ
堆在一起。

kàn yī gè biàn chéng yī dà duī le
"看,一个变成一大堆了。"

niú dà bó shuō hā hā zhè nǎ lǐ shì yī dà duī zhè shì yī xiǎo duī ya
牛大伯说:"哈哈,这哪里是一大堆,这是一小堆呀。"

shǎ xiǎo xióng yòu bān lái le hěn duō mǎ líng shǔ
傻小熊又搬来了很多马铃薯。

54

傻小熊说："瞧，变成一大堆了。"

牛大伯又笑了："哈哈，不行，我要你把一个马铃薯变成一大堆马铃薯。"

傻小熊不明白了："这可怎么办呢？"

牛大伯说："你看，你把这些切碎的马铃薯种到地里去吧。"

傻小熊把它们都种到了地里。

结果，每一小块儿马铃薯都长出了小芽。

过了一段时间，傻小熊从地里挖出很多的马铃薯，真的是有一大堆呢！

月亮 晚安！

55

zhuó mù niǎo dū du shì
啄木鸟嘟嘟是
gè diàn shì mí dòng huà piàn
个电视迷。动画片、
lián xù jù kàn le yī
连续剧……看了一
jí yòu yī jí shí jiān jiǔ
集又一集。时间久
le yǎn jing chū le wèn tí
了，眼睛出了问题。

啄木鸟嘟嘟

文/武玉桂　图/季世成

zhè tiān dū du zhèng zài chī zǎo diǎn tū
这天，嘟嘟正在吃早点。突
rán diàn huà líng xiǎng qǐ sēn lín lǐ fā
然，电话铃响起——森林里发
shēng le chóng hài cuī tā gǎn jǐn shàng bān qù
生了虫害，催他赶紧上班去！
kuài kuài dū du jí jí máng máng lí kāi jiā kě tā
快！快！嘟嘟急急忙忙离开家，可他
gāng fēi chū bù yuǎn jiù zhuàng shàng le yí yàng dōng xi dū du
刚飞出不远，就撞上了一样东西。嘟嘟
xiǎng zhè yí dìng shì dà shù gǎn kuài bǎ chóng zi zhuó qù
想：这一定是大树，赶快把虫子啄去！

噗噗噗，刚啄几下——咦，这声音不对？

这时，兔妈妈说话了："嘟嘟，你啄错啦！这是我种的丝瓜，不是大树。"

"兔妈妈，对不起！对不起！我的眼睛出了问题……再见！我得赶快捉虫子去。"

飞呀飞呀，咚！又撞上了一样东西。嘟嘟心想：这回一定是大树了，赶快啄！

嗵嗵嗵，刚啄几下——咦，这声音也不对？

耳边传来黑熊的惊叫声："哎哟，我的啤酒……"原来，这次嘟嘟又啄错了——他把黑熊的啤酒桶啄了三个小洞。

"熊大叔，对不起！我的眼睛出了点儿问题……再见！我得赶快捉虫子去。"

飞呀飞呀，咚！又撞上了一样东西，呦，这回的声音更不对！

耳边传来长颈鹿气呼呼的声音："你瞎啄什么呀！把人家的脖子当大树……"

"长颈鹿老师，实在对不起，我的眼睛……"

听说嘟嘟的眼睛出了问题，长颈鹿老师安慰他："没关系，没关系！我认识眼镜店的师傅，他一定会帮助你的。"

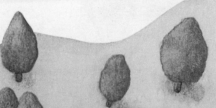

啄木鸟嘟嘟的眼睛为什么会变坏呢？你知道应该怎样保护眼睛吗？

58

后来，嘟嘟戴上了眼镜，总算能看清楚东西了。不过，戴着眼镜实在不方便！飞得快一点儿吧，怕眼镜掉下来；啄木时用力一点儿吧，怕眼镜被震破；雨天、雾天吧，怕水汽模糊了眼镜……唉，有一双明亮的眼睛多好！啄木鸟嘟嘟现在非常后悔，可是后悔也晚了……

wū guī yé ye yào guò yī bǎi suì de
乌龟爷爷要过一百岁的
shēng rì le xiǎo dòng wù men xiǎng gěi wū guī
生日了，小动物们想给乌龟
yé ye sòng cháng shòu miàn
爷爷送长寿面。

长寿面

文/冰波　图/唐云辉

xiǎo sōng shǔ xiǎng　　　　cháng shòu miàn dāng rán shì yuè cháng yuè hǎo　　tā
　　小松鼠想："长寿面当然是越长越好。"他
bǎ liǎng zhī shǒu shēn dào zuì cháng sòng qù le yī gēn xiàng liǎng zhī shǒu fēn
把两只手伸到最长，送去了一根像两只手分
kāi zhè me cháng de miàn tiáo wū guī yé ye gāo xìng de shuō hā xiè
开这么长的面条。乌龟爷爷高兴地说："哈，谢
xiè nǐ sòng gěi wǒ zhè me cháng de cháng shòu miàn na
谢你，送给我这么长的长寿面哪！"

小猪也来送长寿面，他说："什么？这么短的也叫长寿面？你看我的！"

小猪手里拿着一根竹竿，上面挑着一根面条，那可比小松鼠两只手那么长的要长多了。乌龟爷爷高兴地说："哈，谢谢你，送给我这么长的长寿面哪！"

这时候，好几只小猴子来了，说："什么？你们这么短的也叫长寿面？看我们的！"

hǎo jǐ zhī xiǎo hóu zi tā men měi yí gè shǒu lǐ dōu ná
好几只小猴子，他们每一个手里都拿
yì gēn zhú gān shàng miàn tiāo zhe yí gēn miàn jiù xiàng shì wǔ lóng
一根竹竿，上面挑着一根面，就像是舞龙
shì de wū guī yé ye gāo xìng de shuō hā xiè xie nǐ men
似的。乌龟爷爷高兴地说："哈，谢谢你们，
sòng gěi wǒ zhè me cháng de cháng shòu miàn na
送给我这么长的长寿面哪！"

zhè shí hou xiǎo tù zi lái le tā shuō hēi nǐ men
这时候，小兔子来了，她说："嘿，你们
de dōu tài duǎn zhǐ yǒu wǒ de cái shì zuì cháng de
的都太短，只有我的才是最长的！"

dà jiā kàn kan xiǎo tù zi tā zhǐ shì bēi zhe yí gè dà
大家看看小兔子，她只是背着一个大
kǒu dài méi yǒu kàn dào tā ná zhe miàn tiáo a xiǎo tù zi dǎ kāi
口袋，没有看到她拿着面条啊。小兔子打开
dà kǒu dài zhǐ jiàn lǐ miàn xiàng diàn xiàn shì de yí dà juǎn miàn tiáo
大口袋，只见里面像电线似的一大卷面条。

宝宝找一找， 在哪里？

62

小兔子说："你们瞧吧，这是我做的长寿面，这里只有一根，你们想想它有多长吧！"

乌龟爷爷高兴地说："好啊，好啊，你们的心意都很好，现在我们开始煮长寿面吃吧。"

乌龟爷爷把大家送来的长寿面都放进大锅里，煮啊煮啊，煮了一大锅。面煮好了，大家一起吃长寿面。乌龟爷爷说："大家吃了长寿面，祝大家吃了都长寿！"

63

教育提示

南瓜星的故事善意地提醒我们：学习成绩不是教育的唯一目标，让孩子德、智、体全面发展，将来才会是一个身心健康的人。

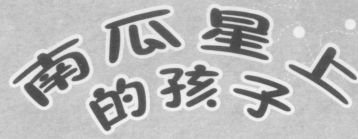

南瓜星的孩子

文/武玉桂　图/张晓夜

太空中有一颗星，叫南瓜星。

南瓜星上的孩子们舒服极了，他们连一丁点儿活都不用干。爸爸妈妈都说："你们只要好好学习就行！"

为了不耽误儿子看书，儿子的鞋带总是由爸爸来系；为了让女儿多练一会儿钢琴，妈妈拿着小勺亲自给女儿喂饭。

南瓜星上的孩子们真有出息：在这里，两岁的小孩儿会书法，会画画，会打算盘；三岁的小孩儿会唱歌，会跳舞，还会下围棋；四岁的小孩儿能演奏九十九种乐器……

地球上的小孩到六岁半才上学。可是，在南瓜星上，六岁半的孩子都已经大学毕业了。可惜呀，这些大学生们学到了许多知识，偏偏没有学会干活。

日子一年一年过去了。终于有一天，南瓜星上的爸爸妈妈们都老了，去世了。从此，这个星球上再也没人会系鞋带，会使小勺，会扣纽扣了……

不会系鞋带怎么走路呀？不会使小勺怎么吃饭呀？没办法，总统只好派飞碟去地球上请老师。

? 为什么南瓜星上的孩子都不会干活？你喜欢南瓜星上的孩子吗？

飞碟飞得真快：不几天，地球上的老师请来了。这些老师是谁？他们是幼儿园的小朋友！有大班的、中班的，也有小班的。

幼儿园的小朋友开始给他们上课了。小班的孩子教南瓜星上的人用小勺吃饭；中班的教他们系鞋带、扣纽扣；大班的教他们叠被子、扫地、洗碗……

南瓜星上的人非常聪明，没多久，他们便学到了许多本领，会自己系鞋带、扣纽扣……用小勺吃饭了！

南瓜星上的人也明白了一个道理，那就是：孩子们从小要学会"自己的事情自己做"——不然的话，将来会遇到很多麻烦。

睡前读儿歌

自己洗一洗

小白鹅，照池塘，
吭吭吭，叫声响：
"妈妈，妈妈，
我的脸上脏！"
妈妈说：
"自己洗一洗，
脸上就不脏！"

（张秋生）

月亮 晚会！

67

kǒng lóng dì yī cì jìn chéng chéng lǐ
恐龙第一次进城，城里
rén dōu shuō huān yíng nǐ dà kǒng lóng
人都说："欢迎你，大恐龙！"
zhè kě shì xī hǎn kè rén shì zhǎng xiān sheng
这可是稀罕客人，市长先生
qīn zì péi kǒng lóng guàng jiē
亲自陪恐龙逛街。

恐龙"其其卡"

文 / 武玉桂　图 / 沈苑苑

kǒng lóng duì xiǎo bǎi huò jiā yòng diàn qì
恐龙对小百货、家用电器
dōu méi yǒu xìng qù fú zhuāng ne gān cuì lián
都没有兴趣。服装呢？干脆连
kàn dōu bù yào kàn kǒng lóng ma cóng lái
看都不要看——恐龙嘛，从来
dōu shì guāng zhe shēn zi hòu lái lái dào le
都是光着身子。后来，来到了
shuǐ guǒ shì chǎng kǒng lóng yī xià zi xīng fèn
水果市场，恐龙一下子兴奋
le wā zhè lǐ hǎo chī de zhēn duō
了："哇，这里好吃的真多！"

68

卖水果的摊贩们今天格外大方：恐龙难得来一回，今天我们请客！菠萝、香蕉、荔枝、草莓、哈蜜瓜……大恐龙见什么吃什么。

恐龙吃饱了，他用了刚学会的一个词说："谢谢！"恐龙又说："其其卡！其其卡！"

"恐龙说什么呢？""他说'其其卡'？""什么意思？""你问我，我问谁？"人们相互打听，可是谁也不明白这"其其卡"是什么意思。

一位提着篮子买水果的女士猜测说:"是不是也想带些水果回去,给朋友吃?"恐龙摇摇头,又说:"其其卡!其其卡!"

一位卖西瓜的小贩担心地问:"你是不是说,以后每天到这儿来吃一顿?"恐龙还是摇摇头。

东猜西猜,怎么也猜不出这"其其卡"的意思。

没办法,市长只好请来几位专家。他们是外语学院的教授、古生物研究所的博士、电脑专家、动物园园长……

70

专家们一起动脑筋，查资料。嘀嗒！嘀嗒！时间一分一秒地过去了。专家们也没有办法弄懂这"其其卡"。恐龙着急得头上都冒汗了。

恐龙终于憋不住了——他站在街头开始撒尿了。人们都哈哈大笑：原来"其其卡"的意思是要找厕所！

小朋友，你可要记住：

如果有一天，你遇见一只恐龙，如果他对你说"其其卡"，那么，你得赶快帮他……

睡前读儿歌

说 话

"叽叽"，"嘎嘎"，
小鸡，小鸭，
它俩干啥？
正在说话。
小狗听不懂，
"汪汪"光打岔。

（张春明）

月亮 晚会！

71

长寿面

小动物们给乌龟爷爷送来了长寿面。现在请你看一看,哪根面条是小松鼠送来的?哪根是小猪、小猴子和小兔子送来的?

游戏目的:提高孩子注意的稳定性。

73

会讲恐怖故事的鳄鱼

文/张秋生
图/唐云辉

一个紧靠芦苇荡的湖泊里,住着一条大鳄鱼。

大鳄鱼很孤单地生活着。可是他曾经有过不少朋友,但这些朋友最终都变成了他的美食,被他吞下肚子。

大鳄鱼是怎么交朋友的呢?说来也许你不信,他是靠讲故事来交朋友的。

大鳄鱼肚子里有很多故事吗?不,他

肚子里只有一个故事。这是鳄鱼家族祖传的一个故事。

那一天，大鳄鱼的肚子饿极了。他游出湖面看了半天，周围没有兔子，也没有鹿和猴子。只见不远处，有一只青蛙蹲在荷叶上。大鳄鱼心想，肚子实在饿了，有一只青蛙充饥也是不错的。鳄鱼朝四处看看，确定附近不再有其他动物了，他开始放心地讲故事：

"你知道吗？从前啊，有个古老的池塘，古老的池塘里，有个古老的怪物，他咕咚咕咚地行走着，很恐怖。但这恐怖声，会给你带来幸运，带来快乐……"

小青蛙一见鳄鱼，起初很害怕，但他很快地就被鳄鱼的故事吸引住了，他想："这古老的池塘里会

有什么古老的怪物，为什么他恐
怖的行走声，会给人带来幸运和快乐呢……"

正当青蛙听得入神的时候，鳄鱼说："你听听，这
咕咚咕咚的行走声响了。请想一想，这会是谁呢……"

青蛙真的傻乎乎地去想了。

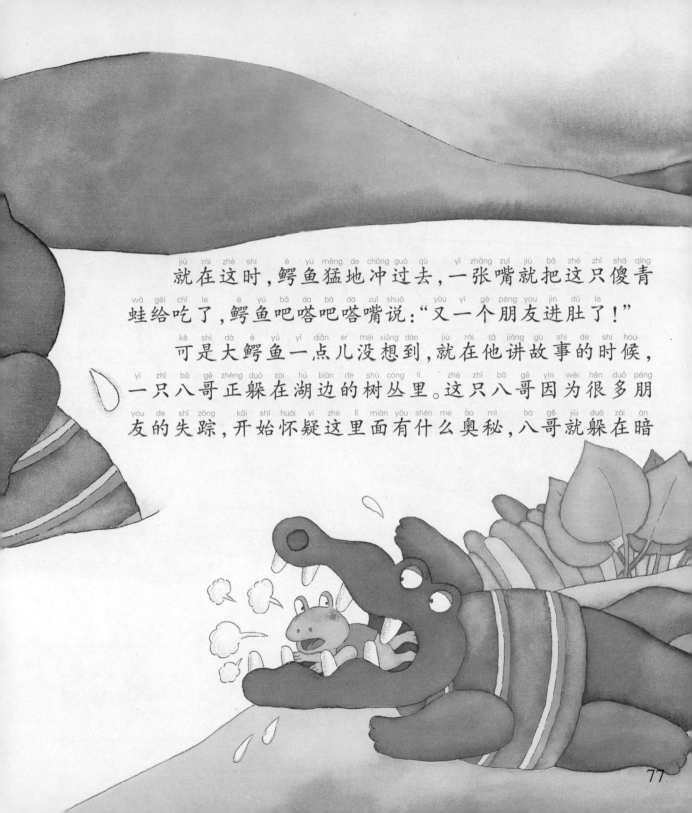

就在这时，鳄鱼猛地冲过去，一张嘴就把这只傻青蛙给吃了，鳄鱼吧嗒吧嗒嘴说："又一个朋友进肚了！"

可是大鳄鱼一点儿没想到，就在他讲故事的时候，一只八哥正躲在湖边的树丛里。这只八哥因为很多朋友的失踪，开始怀疑这里面有什么奥秘，八哥就躲在暗

77.

àn de shù cóng lǐ xì xì guān chá xiàn zài tā zhōng yú
暗的树丛里细细观察。现在他终于
míng bái péng you men shī zōng de mì mì le
明白朋友们失踪的秘密了。

bā gē fēi biàn sēn lín hé hú àn biān tā bǎ
八哥飞遍森林和湖岸边，她把
è yú zǔ chuán de gù shi jiǎng gěi měi yī gè rén tīng
鳄鱼祖传的故事，讲给每一个人听。

 大鳄鱼这样交朋友对吗？宝宝，我们应该怎样对待朋友呢？

78

以后，每当鳄鱼张开大嘴说："你听听，这咕咚咕咚的恐怖行走声响了……"听故事的人就会说："大鳄鱼，让你的行走声见鬼去吧！我才不会上当呢……"

说完，他就会一溜烟儿地跑了。

就这样，大鳄鱼祖传的故事再也没有魔力，他也就饿死了。

79

小乌龟找工作

文/武玉桂　图/倪靖

　　邮局要招收邮递员。小乌龟想：送信是件有趣的工作，我应该去报名。小乌龟来到了邮局，正巧小袋鼠也来报名，邮局的鸵鸟主任便给他们每人发了一顶绿色的帽子。

　　小乌龟头小，帽子也小，只有半个苹果大，但戴上也挺漂亮。

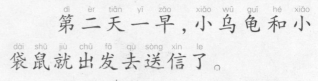

第二天一早，小乌龟和小袋鼠就出发去送信了。

小袋鼠蹦呀蹦，一天送了一百封；小乌龟爬呀爬，一天只送了一封。

傍晚，他俩都回到邮局。小袋鼠肚皮上的袋子里空空的，小乌龟背上的背包里还是鼓鼓的。鸵鸟主任说："对不起，我们只能要小袋鼠。小乌龟，请你再到别处去找工作吧。"

"我一定会找到工作的。"小乌龟把绿色的小帽子还给了鸵鸟主任。

81

　　小乌龟走着走着，遇见了小猴。小猴告诉小乌龟，消防队正在招收队员，他是去报名的。小乌龟说："当一名消防队员也不错。"他就和小猴一起去了。

　　消防队的熊队长见他俩来报名，就给他们每人发了一个红色的小水桶。小乌龟个子小，水桶也小，只有一个酒杯大，不过提着也挺神气。

突然，响起了消防警报。院子里的乌鸦窝失火啦！
熊队长命令小乌龟和小猴马上上树救火。

小乌龟越急脚越滑，围着大树转圈圈；小猴轻轻
一蹿就上了树，马上把火浇灭了。

"我一定会找到工作的。"

熊队长说："考试结束。对不起，小猴可以留下，小
乌龟请你再到别处去看看吧。"
小乌龟把红色的小桶还给了熊队长。
从这天起，谁也不知道小乌龟到哪里去了。

过了不久，城里来了一个杂技团。鸵鸟主任、小袋鼠、熊队长和小猴都来看表演。

紫红色的大幕拉开了。出现在舞台上的是一只大象，象背上站着老虎，老虎身上骑着小猩猩，猩猩头上顶着小狐狸……嗬！真棒！观众们都看呆了。

突然，眼睛最亮的小猴叫起来："哎！你们看！那不是小乌龟吗？"

84

月亮 晚安！

大伙儿仔细一瞧，可不，卧在最下面，背上驮着大象的，正是小乌龟。原来他当杂技演员啦！

小乌龟终于找到了工作。驼鸟主任、熊队长、小猴、小袋鼠都为他高兴，大家拼命鼓掌，使劲地喊："小乌龟，好样的！"

想一想，除了做杂技演员，小乌龟还能做什么工作？

85

"小伞兵"和"小刺猬"

文/孙幼忱 图/小米工作室

秋天，蒲公英妈妈的孩子们都长大了。他们每人头上长着一撮蓬蓬松松的白绒毛，活像一群"小伞兵"。许多"小伞兵"紧紧地挤在一起，就成了个圆圆的白绒球！

"小伞兵"有许多好朋友，那就是隔壁苍耳妈妈的孩子——小苍耳。小苍耳长得真奇怪，身体小小的，像个枣核，全身长满了尖尖的刺。"小伞兵"亲热地叫他们"小刺猬"。

有一天，他们正在一起说悄悄话，突然一阵风吹来，把"小伞兵"头上的白绒毛吹得飘呀飘的。白绒球一下子就散开了，张着降落伞，飞到空中去了。他们快乐地大声喊着："'小刺猬'，瞧，风伯伯带我

men qù lǚ xíng le zài jiàn zài jiàn
们去旅行了，再见，再见！"

yì zhī xiǎo lù pǎo guò lái cóng cāng ěr mā ma shēn biān cā guò méi xiǎng dào xǔ duō
一只小鹿跑过来，从苍耳妈妈身边擦过，没想到许多

xiǎo cì wei guà zài le xiǎo lù de máo shàng xiǎo cì wei hǎo xiàng qí zhe yì pǐ dà
"小刺猬"挂在了小鹿的毛上，"小刺猬"好像骑着一匹大

mǎ kuài kuài lè lè de chū mén lǚ yóu le
马，快快乐乐地出门旅游了。

xiǎo lù bù tíng de pǎo zhe pǎo zhe
小鹿不停地跑着跑着，

dǐng xiǎo de xiǎo cì wei bèi cā le xià lái
顶小的"小刺猬"被擦了下来，

luò zài yì piàn cǎo dì shàng tū rán   xiǎo
落在一片草地上。突然，"小

cì wei tīng jiàn yǒu rén hé zì jǐ shuō huà
刺猬"听见有人和自己说话，

tā huí tóu yí kàn āi yā yuán lái jiù shì
他回头一看，哎呀，原来就是

nà gè dǐng xiǎo dǐng xiǎo de xiǎo sǎn bīng
那个顶小顶小的"小伞兵"

a   xiǎo sǎn bīng tǎng zài dì shàng yǐ jīng
啊！"小伞兵"躺在地上，已经

yǒu yí bàn gěi tǔ mái shàng le
有一半给土埋上了。

kàn dào hǎo péng you xiǎo cì wei zhēn
看到好朋友，"小刺猬"真

shì gāo xìng jí le liǎng gè hǎo péng you yòu
是高兴极了，两个好朋友又

zài yì qǐ le fēng bó bo chuī qǐ yòu sōng
在一起了！风伯伯吹起又松

yòu ruǎn de tǔ qīng qīng de gài zài xiǎo sǎn bīng hé xiǎo cì wei de shēn shàng
又软的土，轻轻地盖在"小伞兵"和"小刺猬"的身上。

dì èr nián chūn tiān xiǎo sǎn bīng hé xiǎo cì wei cóng ní tǔ lǐ zuān chū lái
第二年春天，"小伞兵"和"小刺猬"从泥土里钻出来，

zhǎng chéng yì kē zhēn zhèng de pú gōng yīng hé zhēn zhèng de xiǎo cāng ěr
长成一棵真正的蒲公英和真正的小苍耳。

月亮 晚会！

淘气的小海鱼

文/张秋生 图/季世成

有一条淘气的小海鱼。他自由自在地生活在大海里。

小海鱼最爱玩"骑白马"的游戏。他跃身骑在涌起的浪花上,快活地唱着:

"骑,骑,骑白马,

骑到岸上去玩耍……"

dà hǎi mā ma hé xiǎo hǎi yú de huǒ bàn men dōu gào su xiǎo hǎi
大海妈妈和小海鱼的伙伴们，都告诉小海
yú àn shàng kě bù shì yú ér dāi de dì fang nà er tǐng wēi xiǎn kě
鱼，岸上可不是鱼儿呆的地方，那儿挺危险。可
xiǎo hǎi yú hái shì ài qí zho làng huā xiàng àn shàng chōng jī
小海鱼还是爱骑着浪花向岸上冲击。

yǒu yī tiān xiǎo hǎi yú wán de tài gāo xìng le
有一天，小海鱼玩得太高兴了，
bèi làng huā yī xià zi sòng dào hěn yuǎn de shā tān shàng
被浪花一下子送到很远的沙滩上，
tā bèi gē qiǎn zài àn biān de yī gè xiǎo shuǐ kēng lǐ
他被搁浅在岸边的一个小水坑里。

shuǐ kēng lǐ shuǐ hěn qiǎn ér qiě kēng biān
水坑里水很浅，而且坑边
cháng yǒu rén zǒu dòng pā pā de jiǎo bù shēng zhēn
常有人走动，啪啪的脚步声真
ràng xiǎo hǎi yú hài pà xìng hǎo shuǐ kēng biān yǒu zhāng
让小海鱼害怕。幸好水坑边有张
bèi shài gān de shù yè xiǎo hǎi yú bǎ shù yè tuō
被晒干的树叶。小海鱼把树叶拖
jìn shuǐ lǐ ràng zì jǐ duǒ zài shù yè xià miàn
进水里，让自己躲在树叶下面。

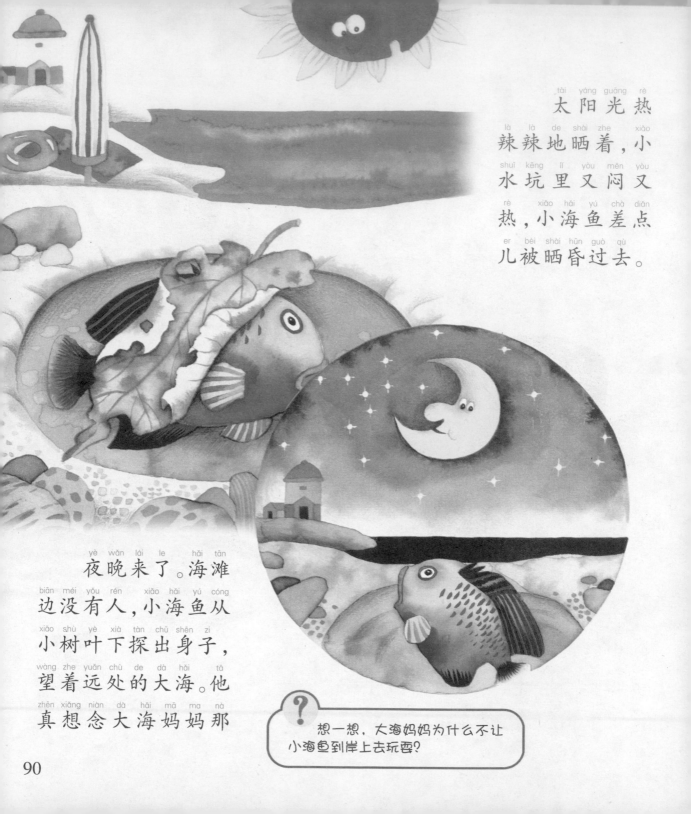

太阳光热辣辣地晒着，小水坑里又闷又热，小海鱼差点儿被晒昏过去。

夜晚来了。海滩边没有人，小海鱼从小树叶下探出身子，望着远处的大海。他真想念大海妈妈那

想一想，大海妈妈为什么不让小海鱼到岸上去玩耍？

90

清凉又舒服的怀抱，他还想念自己那些快乐的伙伴……

想啊，想啊，不知过了多久，大海开始涨潮了，浪花哗哗地不断靠近水坑。突然，一个浪头卷来，把小海鱼抱进了大海妈妈的怀里。

"噢，大海妈妈抱我回家了！"

小海鱼可高兴了，他在大海妈妈怀里游着，他再也不想骑着浪花白马离开大海了——

小海鱼爱大海妈妈，爱生活在大海妈妈怀里的快活伙伴们。

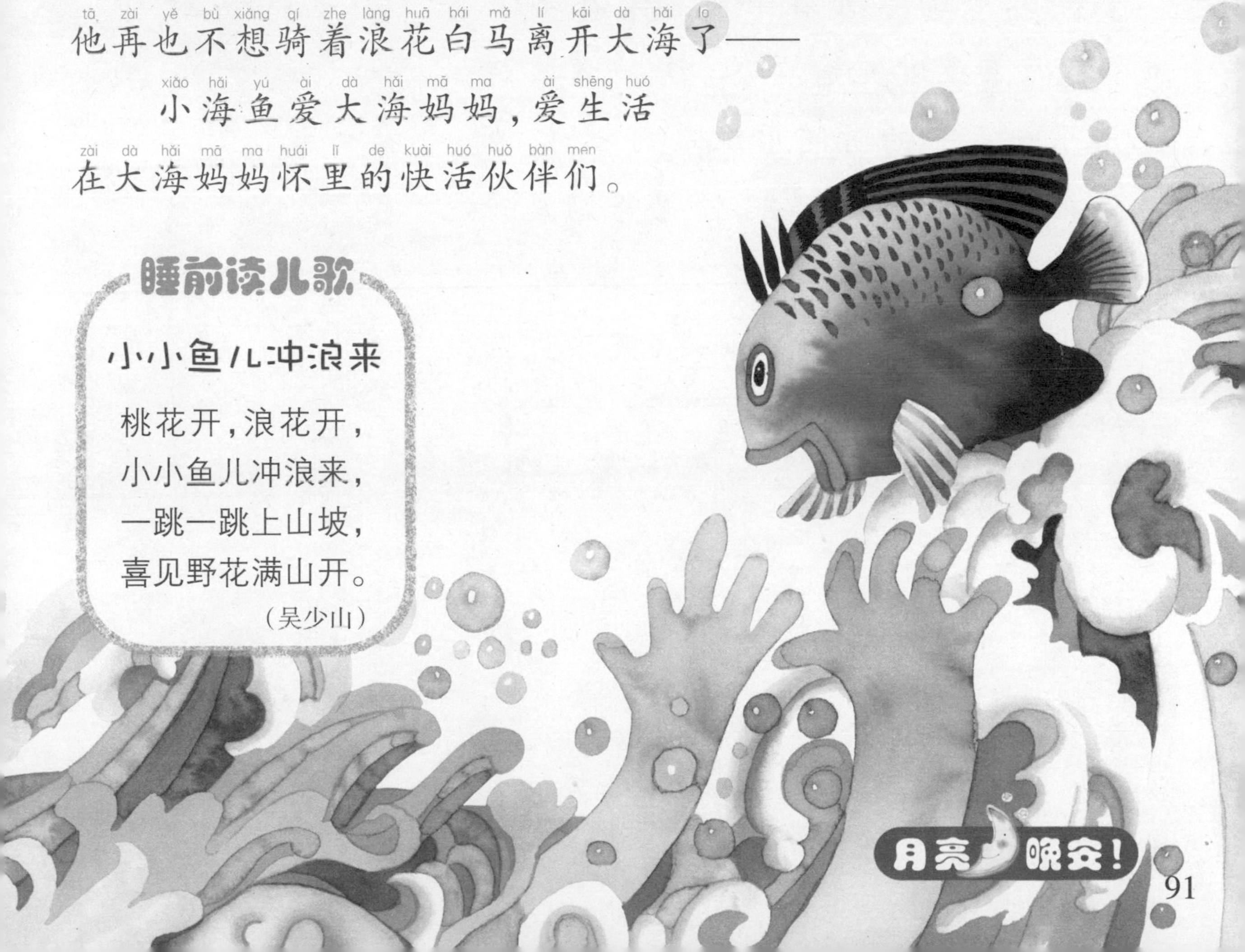

睡前读儿歌

小小鱼儿冲浪来

桃花开，浪花开，
小小鱼儿冲浪来，
一跳一跳上山坡，
喜见野花满山开。

（吴少山）

月亮 晚安！

91

一筐青草

文/葛冰　图/倪靖

一只小山羊背着一筐青草在路上走。小山羊最爱吃青草了，这筐青草是他用了一上午的时间用镰刀割来的，他准备把这筐草背回家去，同爸爸妈妈一起好好吃一顿。

小山羊正背着草往前走，突然听见有人喊："救命啊，救命啊。"

教育提示

善良的小山羊虽然失去了一筐青草，但他却救了小胖猪的命。帮助别人即使失去些东西，也同样可以感受到快乐。

小山羊赶紧跑过去看。不好了，一只小胖猪掉到河里了。

小胖猪在水中使劲挣扎，喊着"救命"。可是小山羊也不会游泳，这怎么办啊？啊，小山羊有办法了。他把青草全倒在地上，把筐子扔到水里。筐子在水面上漂着，小胖猪抓住筐子，慢慢地漂上岸来。小胖猪得救了。可是刚才正好刮了一阵风，地上的青草全被刮跑了。小胖猪不好意思地说："真对不起，你的青草全被刮跑了。"

小山羊说："没关系，我一会儿再去割。"

月亮 晚安！

93

杂技团里真热闹

说一说，杂技团里都有哪些动物？数一数，有几只小乌龟？几头大象？几只小猴？哪种动物最多？

游戏目的：训练孩子数数和进行量的
比较。同时培养孩子较持久的观察力。

教育提示

这是篇既有趣又蕴含哲理的故事。国王想了许多办法帮公主找猫，却一错再错。这说明做什么事都得动脑筋，只有抓住事物的本质和规律，再经过努力，才能获得成功。

公主的猫

文/武玉桂　图/张晓夜

这个故事发生在一个没有猫的国家里。

有一天，一位外国老太太到这个国家来旅游，她给国王带来一只可爱的小猫。国王把小猫送给了自己的女儿娜娜公主。

娜娜公主别提多么喜欢这只小猫了，反正你就是用太阳和月亮加在一块儿换她的小猫，她也肯定不乐意。

可是，有一天晚上，小猫突然不见了。娜娜公主特别伤心，呜呜的哭声惊动了整个王宫。国王非常着急，派人连夜上街

96

贴《寻猫布告》。布告是这样写的：娜娜公主的小猫丢了，有谁捡到赶紧送来，奖黄金一万两。记住，小猫的特点是："别看年纪小，胡子可不少。"

第二天一早，卫兵报告说，有人带小猫来领奖了。国王高兴极了，连拖鞋都来不及穿就跑出了王宫。可是一看就傻了眼，原来，面前这只"别看年纪小，胡子可不少"的动物不是小猫，而是一只小山羊。

不行，第一张《寻猫布告》没把猫的特点说清楚。国王下令，马上再去贴第二张《寻猫布告》。

这回，布告上写着：记住，小猫的特点是："大眼睛，会上树，还会捉老鼠！"布告刚贴出不一会儿，又有人带着小猫来领奖。国王一看，又错了！这个"大眼睛，会上树，还会捉老鼠"的，原来是只猫头鹰。

不行！第二张《寻猫布告》还没把猫的特点说清楚。国王又下令，贴第三张！第三张布告是一幅画。上面写着：瞧见了吗——这就是猫！

很快，又有人来领奖了。他们抬来一个大铁笼子，里面关着的那只动物和画上的猫一模一样，只是个头儿要大几十倍，脑门上还有一个"王"字。唉，又错了！这不是猫，是虎大王。

娜娜公主找不到心爱的猫，两眼哭得又红又肿，她正坐在镜子前发呆呢！忽然窗外传来一个奇怪的声音——

"喵！"

啊，小猫出现在窗台上。娜娜公主扑过去，紧紧地搂住小猫，快活地亲呀，亲呀……国王在一旁拍着脑瓜，自言自语地说："我怎么就没有想到呢？'喵喵'叫才是猫的特点呀！"

狐狸列那的故事

原著/阿希·季浩(法国)　图/费嘉

天气很冷，天色阴沉沉的。狐狸列那看着家里那几个已经空了的食橱，狠狠心，走进外面的风雪里，去寻找食物。

狐狸列那沿着树林缓慢地走着，东瞧瞧，西望望，一直走到一条大路上。忽然一阵大风刮过，飘来一股诱人的香味。狐狸列那四下张望，他发现打老远的地方驶过来一辆车。毫无疑问，这股诱人的味道就是从那辆车里散发出来的。

确实，这是去附近城里鱼市场卖鱼的商贩，他们的筐子装满了鲜鱼。

狐狸列那的脑子里忽然闪出了一条妙计。他绕到离大车还很远的路的一端，躺倒在路中间，装出刚刚暴死的样子。商贩们到了跟前，停下车，果然以为他死了。两个商贩连忙下车，漫不经心地把狐狸列那扔到了鱼筐边，重新上车，继续赶路了。

狐狸列那正落在好地方：那里有够他一家吃的丰盛的午餐。他几乎一动也不动，毫无响声地用锋利的牙齿咬开了一个鱼筐，开始了他的美餐。眨眼工夫，至少有三十条鲱鱼进了他的肚子。吃完后，他又用牙齿咬开了另一个鱼筐——那是一筐鳗鱼。他巧妙地把好几条鳗鱼串起来做成项链，挂在自己的脖子上，然后轻轻地从车后滑到了地上。

他下车虽然很轻，但还是发出了一点儿响声。

赶车人发现那只死狐狸已从车上逃跑，正当他感到莫名其妙和惊讶不已的时候，狐狸列那嘲讽地向他们喊道："上帝保佑你们，我的朋友！谢谢你们送给我鳗鱼啦！"

商贩们这才恍然大悟，是狐狸列那用计捉弄了他们。

他们立即停车，去追捕狐狸列那。可是此时的狐狸列那早

yǐ jīng pǎo de wú yǐng wú zōng le
已经跑得无影无踪了。

shāng fàn men ào sàng wàn fēn zhǐ hǎo chóng xīn shàng le chē
商贩们懊丧万分，只好重新上了车。

bù yī huì er hú li liè nà jiù pǎo dào le jiā yǔ
不一会儿，狐狸列那就跑到了家，与

ái è de jiā rén yī qǐ gòng xiǎng měi miào de wǎn cān
挨饿的家人一起共享美妙的晚餐。

睡前读儿歌

我爱我的好妈妈

小鸟爱着鸟妈妈，
小鱼爱着鱼妈妈。
我是一个小宝宝，
我爱我的好妈妈。

（张秋生）

月亮 晚安！

103

长尾巴

文/武玉桂 图/信东

shǔ bǎo bao zhǎng le yī tiáo tè bié cháng de wěi ba
鼠宝宝长了一条特别长的尾巴。

bié de lǎo shǔ kàn jiàn le dōu xiào huà tā
别的老鼠看见了，都笑话他：

"真难看，羞死了！"

shǔ bǎo bao xīn lǐ hěn nán guò wū wū de kū zhe
鼠宝宝心里很难过，呜呜地哭着。

104

guāng kū yě méi yòng děi bǎ wěi ba cáng qǐ
光哭也没用，得把尾巴藏起
lái shǔ bǎo bao jiù bǎ wěi ba chán dào le yāo shàng
来！鼠宝宝就把尾巴缠到了腰上，
kàn shàng qù xiàng shì chuān le yī tiáo qún zi kě shì
看上去像是穿了一条裙子。可是，
bié de lǎo shǔ xiào de gèng lì hài le
别的老鼠笑得更厉害了。

shǔ bǎo bao jué dìng dào chéng lǐ qù zhǎo yī
鼠宝宝决定到城里去，找一
wèi yī shēng bāng tā bǎ wěi ba jiǎn duǎn diǎn er
位医生，帮他把尾巴剪短点儿。

shǔ bǎo bao bēi zhe xiǎo shū bāo shàng lù le
鼠宝宝背着小书包上路了。

"吱扭，吱扭！"

duì miàn lái le yī wèi tuī dú lún chē de tù yé
对面来了一位推独轮车的兔爷
ye zhēn bù miào tù yé ye de chē lún xiàn dào le ní
爷。真不妙，兔爷爷的车轮陷到了泥
táng lǐ shǔ bǎo bao pǎo guò qù bāng zhe tuī chē tā liǎ
塘里。鼠宝宝跑过去帮着推车，他俩
shǐ jìn le lì qì chē lún hái shì chū bù lái
使尽了力气，车轮还是出不来。

shǔ bǎo bao yǒu bàn fǎ tā yòng cháng wěi ba shuān
鼠宝宝有办法：他用长尾巴拴
zhù le dú lún chē hāi yī gè lā yī gè tuī yī
住了独轮车，嗨，一个拉，一个推，一
xià zi jiù bǎ chē zi cáng ní
下子就把车子从泥
táng lǐ zhuài le chū lái
塘里拽了出来。

105

兔爷爷的衣服弄了好多泥，应该洗洗。正巧，附近有一口井，井旁有一个小水桶，可惜没有绳子。

鼠宝宝拍拍脑门儿，想出个好主意：他用长尾巴拴住水桶，哗啦，打上来满满一桶水。

衣服洗干净了，又没地方晾！

这也难不住鼠宝宝！他把尾巴拴在独轮车上，把长尾巴抻直了，然后像杂技演员似的，来个倒立，嘿，一根晾衣绳就做好了。

为什么大家不再笑话鼠宝宝的长尾巴了？

106

"像这样晾衣服的，我还是第一次见到，哈哈哈……"兔爷爷对鼠宝宝说，"这么好的尾巴，剪短了多可惜呀！"

鼠宝宝决定不剪尾巴了。

兔爷爷送给他一面小旗。鼠宝宝把长尾巴高高地翘起来，风儿一吹，小旗在上面哗啦哗啦地飘……

谁看见他，都夸奖："嚯，鼠宝宝真威风！"

睡前读儿歌

老鼠读书

小老鼠，呜呜哭，
没有钱，去买书，
捡到一张破邮票，
他把邮票当书读。

（朱庆坪）

月亮晚会！

107

红蜡烛和美人鱼

原著 / 小川未明(日本)　图 / 程思新

海岸边的一个小镇上有一家清贫的蜡烛商店，店里有一对儿年老的夫妇。镇上的人和附近的渔民上山参拜时，都先到这里买蜡烛。

这对儿老夫妻收养了一个人鱼姑娘，她长着黑黑的眼睛、美丽的头发、淡粉色的皮肤，是一位温顺聪明的姑娘。人鱼姑娘看到老爷爷每天闷在里屋不停地做蜡烛，很辛苦，就想：如果能把自己设计的画画在蜡烛上，人们一定会喜欢的。于是，她向老爷爷征求意见。老爷爷同意了，说："那你就试着画些你喜欢的画好啦。"

人鱼姑娘用红颜料在白蜡烛上画了一些鱼、贝、海藻。画里蕴藏着一种魔力和美丽，谁看见画，都想买蜡烛。从此以后，前来购买蜡烛的人络绎不绝。

由于蜡烛销路很好，老爷爷终日全力做蜡烛，人鱼姑娘在一旁用红颜料在蜡烛上绘画，有时累得手疼胳膊酸，她也坚强地忍耐着，因为她要报答老爷爷和老奶奶的养育之恩。人鱼姑娘累得精疲力尽的时候，常常从窗户伸出头去，在明亮的月光下，含泪眺望遥远的、碧蓝碧蓝的北海。

一天，从南方来了一个商人，他想在北方找点儿稀罕玩意拿到南方去赚钱。商人得知人鱼姑娘不是人，而是货真价实的人鱼后，便悄悄地来找老爷爷和老奶奶，希望他们答应把人鱼姑娘卖给他，他愿出高价收买。老夫妇财迷心窍，居然答应了商人的要求。无论人鱼姑娘怎样哀求，这对老夫妇都不予理睬。

当商人用一个很大的带铁栏杆的四方笼子来带走人鱼姑娘的时候，人鱼姑娘还在往蜡烛上画画。老爷爷和老奶奶对她喝道："喂，你快走吧！"在他们的催促下，人鱼姑娘已无法继续画完手中的蜡烛，于是她把这些蜡烛统统涂成红色。作为自己悲惨命运的纪念，人鱼姑娘留下了两三根红彤彤的蜡烛。

老夫妇这样做对吗？为什么？

110

就在这天夜里，商人带着装着人鱼姑娘的笼子乘船回南方。天空骤然变脸了，最近少见的暴风雨铺天盖地而来。海面上一片昏暗，无数的船只遇了难。

从这天起，如果在夜晚把红蜡烛点在山上的庙里，不管天气多好，也会立刻变阴，暴风雨会倾盆而下。从此红蜡烛变成了不吉祥的象征。

蜡烛店的老夫妇知道自己受到了惩罚，从此，关闭了蜡烛店。

月亮 晚会！

111

楼下的朋友

文／张秋生　图／小米工作室

兔子、乌龟和刺猬商量着，他们要造一只靠气球飞上天的飞船。

小鼹鼠跑来说："带上我吧！""不。"乌龟说，"你太小，帮不了什么忙。""是的，你去别处玩吧！"乌龟的两位朋友也这么说。乌龟和刺猬忙着编一只箩筐当飞船的船体，小兔子忙着给气球充气，一只飞船很快做成了。

飞船在气球的带动下，慢慢飞上天空。就在这时，小鼹鼠也编了一只箩筐，他在箩筐中放了很多瓶水，还有许多好吃的果子。

小兔子他们的箩筐刚刚离开地面，小鼹鼠

112

就把自己的箩筐，挂在了
小兔子他们的箩筐下面，
也跟着飞上了天空。

飞船飞了很久，小兔
子他们这才想起，忘了准
备水和食物了。

这时，从飞船下面传
来笑声说："楼上的朋友，请
喝水，请吃果子……"

小兔子他们在箩筐底下开个小洞，小鼹鼠架上准
备好的梯子，他把水和果子送给楼上的朋友。楼上的朋
友高兴地拥抱着小鼹鼠说："谢谢你，楼下的朋友！"

月亮 晚会！

113

一起去旅行

嘿，飞船上的乘客还真不少！请你仔细观察一下，飞船上都有哪些动物呢？

游戏目的：训练孩子
的观察力和注意力。

115

小狐狸买手套

原著/新美南吉（日本）　图/季世成

雪后的早晨，一只小狐狸在柔软的雪地上玩。

玩了一会儿，小狐狸跑回家，对妈妈说："妈妈，手冷。"他把两只冻得发紫的湿手伸到妈妈面前。狐狸妈妈用自己暖和的手轻轻握着小狐狸的手，说："很快就会暖和起来的。"

狐狸妈妈心想：等天黑以后，去镇上给宝宝买副手套吧。

夜幕降临了，狐狸母子向镇子走去。不久，前方出现了亮光，狐狸妈妈不由自主地停住了脚步。她想起了那次在镇上差点被人抓住的倒霉事，怎么也不敢往前走了，只好决定让小狐狸独自去镇上。

"宝宝，伸出一只手来。"狐狸妈妈握住小狐狸伸出的那只手。不大工夫，那只手变成了可爱的小孩手。"妈妈，这是什么呀？""这是小孩手，宝宝。到了镇上，首先要找挂着黑色礼帽招牌的人家。找到后，敲敲门，然后说'晚上好'，人会把门打开个缝儿，你从门缝儿里把这只小孩手伸进去，说：'请卖我一副手套。'明白了吗？可不能把另外那只手伸进去啊。"狐狸妈妈说着，把带来的两个白铜钱，塞进小狐狸的那只小孩手里。

小狐狸在映着雪光的原野上，摇摇摆摆地朝镇子走去。

117

不久，小狐狸到了镇上。他边看招牌，边找帽子店。终于，他看到了挂有黑色礼帽的招牌。小狐狸按照妈妈教的，先敲了敲门，说道："晚上好。"里面响起"咯噔，咯噔"的声音。然后，门"咯吱"一声开了个缝儿，一道灯光穿过门缝儿，长长地映在街道的白雪上。小狐狸让灯光一晃，一下子慌了起来，把不该伸进去的手从门缝儿里伸了进去，说："请卖给我一副手套。"

帽子店里的人看到这只手,不由得"哎呀"叫了一声,心里想:这是狐狸的手呀,狐狸买手套一定会拿树叶来买。于是,他说:"请先交钱。"

小狐狸将两个白铜钱老实地交给了帽子店的人。那人用食指弹弹,然后互相敲敲,发出"叮叮"的声音。他想,这不是树叶,是真正的铜钱,便从柜子里取出小孩用的毛线手套,放到小狐狸的手里。小狐狸说了声"谢谢",就离开了帽子店。

当他从一个窗户下走过时,忽然听到一个声音。啊,这是多么慈祥的声音呀!"睡吧,睡吧,躺在妈妈温暖的怀里。"

小狐狸想:这声音肯定是小孩妈妈的声音。因为每当小狐狸想睡觉时,狐狸妈妈也是以这样慈祥的声音,摇着他入睡的。

想到这儿,小狐狸飞快地朝妈妈等候他的地方跑去。

睡前读儿歌

手套

小手儿,戴手套,
五个手指像宝宝,
线手套,像毛衣;
皮手套,像皮袄。
秋天出门戴手套,
两只小手冻不着。

(张春明)

月亮 晚会!

阿笨猫开书店

文/冰波　图/钱继伟

ā bèn māo hěn xiǎng kāi yī jiā shū diàn
阿笨猫很想开一家书店。

kě shì kāi diàn yào hěn duō qián ā bèn māo xiǎng yào shì wǒ
可是，开店要很多钱。阿笨猫想："要是我

bǎ jiā lǐ de jiù dōng xi dōu mài diào jiù kě yǐ kāi shū diàn le
把家里的旧东西都卖掉，就可以开书店了。"

jiù zhè yàng ā bèn māo xiān kāi le yī jiā jiù huò diàn
就这样，阿笨猫先开了一家旧货店，

diàn lǐ zhǐ mài ā bèn māo jiā lǐ de yī qiè jiù jiā jù
店里只卖阿笨猫家里的一切旧家具。

xiǎo cì wei lái le tā mǎi qù le nào zhōng
小刺猬来了，他买去了闹钟。

pàng xiǎo zhū lái le tā mǎi qù le zhuō zi
胖小猪来了，他买去了桌子。

xiǎo tù zi lái le tā mǎi qù le shā fā xiǎo shān yáng lái le tā mǎi qù le yī guì
小兔子来了，她买去了沙发；小山羊来了，他买去了衣柜……

120

最后，阿笨猫家里一样东西也没有了。

"好啦，现在我正好用这间空房子来开书店了。"

阿笨猫用卖旧货得来的钱去进货，拉来了很多新书。书店终于开起来了。

"快来买书啊，世界上最好的新书到啦！"阿笨猫喊着。

可是，动物们看了都说：

"书都这么贵，我们买不起呀！"

"那怎么办呢？"阿笨猫说。

"我们用旧货跟你换，好吗？"

"好吧。"阿笨猫答应了。

xiǎo cì wèi ná lái le nà gè nào zhōng pàng xiǎo zhū bān
小刺猬拿来了那个闹钟；胖小猪搬
lái le zhuō zi xiǎo tù zi bān lái le shā fā xiǎo shān yáng bān
来了桌子；小兔子搬来了沙发；小山羊搬
lái le yī guì
来了衣柜。

ā bèn māo shuō fǎn zhèng wǒ yě xū yào zhè xiē dōng xi
阿笨猫说："反正我也需要这些东西。"
tā jiù shōu xià le jiù huò bǎ shū huàn gěi dòng wù men
他就收下了旧货，把书换给动物们。

zuì hòu shū quán bù huàn wán le zhè xiē jiù jiā jù yòu
最后，书全部换完了。这些旧家具又
quán bù huí lái le
全部回来了。

ā bèn māo qīng diǎn le yī xià hái shǎo le yī zhāng chuáng
阿笨猫清点了一下，还少了一张床。

yè lǐ ā bèn māo tǎng zài bīng lěng de dì shàng shuì jiào
夜里，阿笨猫躺在冰冷的地上睡觉：
ài shēng yì yě bù hǎo zuò ya zhè cì yòu kuī le
"唉，生意也不好做呀，这次又亏了。"

? 宝宝找一找， 在哪里？

月亮 晚安！

穿靴子的猫

原著/马克·乔伊尔(意大利)
图/王志宏　李红专

教育提示

穿靴子的猫用自己的机智和勇敢为主人赢得了地位、财富和美丽的公主。只要善于动脑，一切问题都会解决，一切困境都可以变好。

cóng qián yǒu yī gè mò fáng zhǔ zài tā qù shì shí zhǐ gěi qín láo shàn liáng de xiǎo ér zi liú xià le yī zhī māo ài zhè zhī māo néng bāng wǒ zuò shén me ne xiǎo ér zi xiǎng

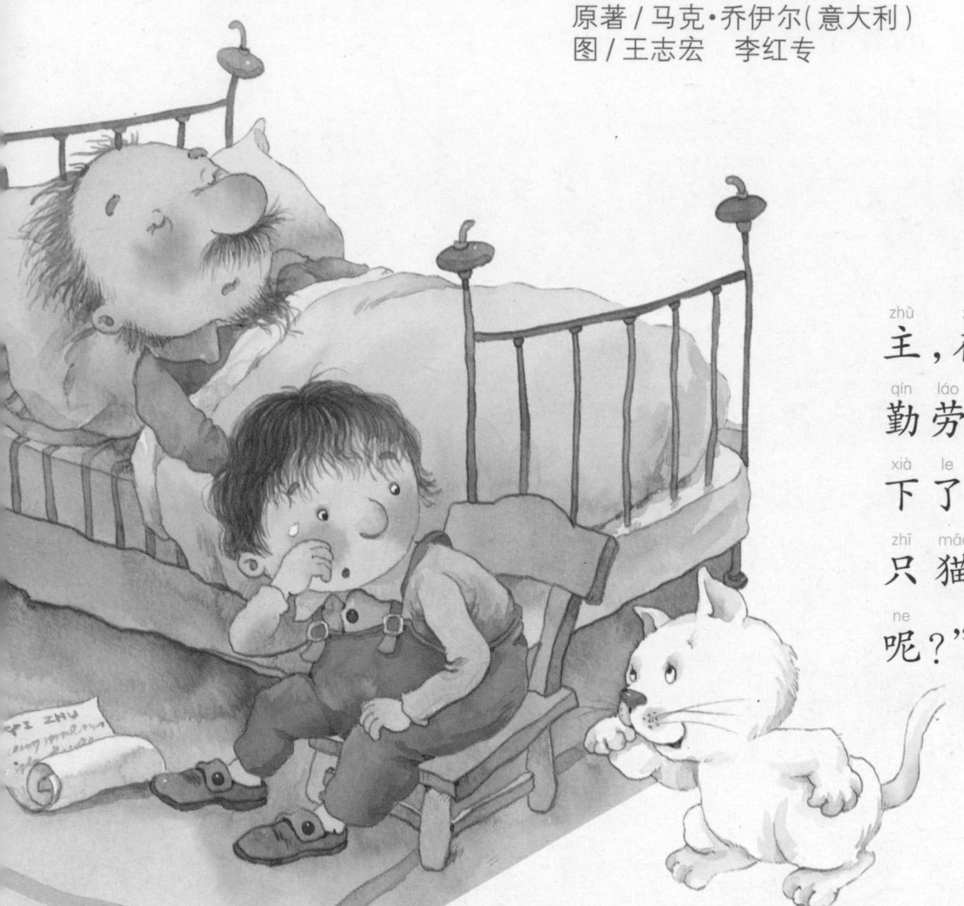

从前有一个磨坊主，在他去世时，只给勤劳善良的小儿子留下了一只猫。“唉！这只猫能帮我做什么呢？”小儿子想。

hū rán māo zhàn qǐ lái shuō huà le zhǔ rén rú guǒ nǐ yuàn yì zhào wǒ de huà zuò wǒ bǎo zhèng huì ràng nǐ biàn de fù yǒu wǒ xū yào yī shuāng xīn xuē zi hé yī gè

忽然，猫站起来说话了：“主人，如果你愿意照我的话做，我保证会让你变得富有！我需要一双新靴子和一个

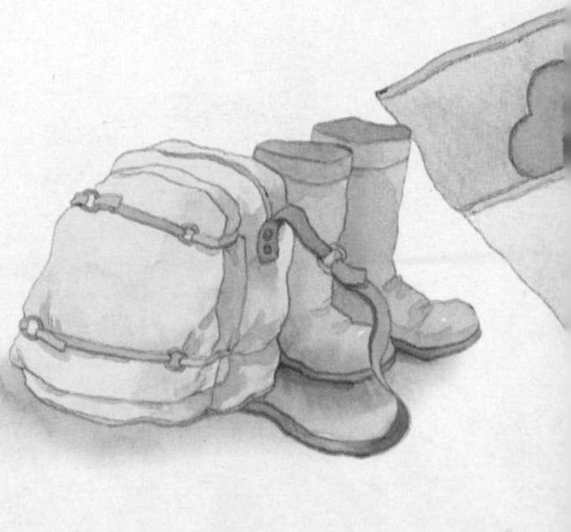

bèi bāo." xiǎo ér zi lì kè mǎn zú le māo de yāo qiú
背包。"小儿子立刻满足了猫的要求。

dì èr tiān yì zǎo māo jiù jìn chéng le
　　第二天一早，猫就进城了。
tú zhōng tā qiǎo miào de yòng yù mǐ lì yòu bǔ le
途中它巧妙地用玉米粒诱捕了
liǎng zhī pàng gē zi rán hòu pǎo jìn wáng gōng guó
两只胖鸽子，然后跑进王宫。国
wáng kàn dào le zhè zhī huì shuō huà ér qiě hái chuān
王看到了这只会说话而且还穿
zhe xuē zi de māo gǎn dào shí fēn jīng yà
着靴子的猫，感到十分惊讶。

guó wáng bì xià māo gōng jìng de shuō
　　"国王陛下！"猫恭敬地说，
zhè shì wǒ de zhǔ rén sòng gěi nín de lǐ wù
"这是我的主人送给您的礼物，
yǐ biǎo shì tā duì nín do wú shàng zūn jìng guó
以表示他对您的无上尊敬。"国

王被礼物和猫恭敬的态度打动了："我要当面向你的主人道谢。明天我去拜访他。"于是，猫深深地鞠了个躬，便离开了王宫。

126

隔天，猫将主人带到郊外的河边。猫对主人说："主人，将衣服脱掉跳进河里去吧。这会为你带来幸福的！"年轻人只好跳入河中。猫将主人的衣服藏起来，然后躺在一棵树下，等待国王经过。当国王的马车来到河边时，猫突然跳出来，大喊："救命啊！我的主人克拉巴斯公爵快要被淹死了！"马车停了下来，里面坐着国王和他美丽的女儿。猫向他们解释："我和主人刚刚遇到抢匪。坏人残暴地抢走了主人的衣服并将他丢到河里。"国王听了，赶紧命人救出猫的主人，并拿出干净的衣服让他穿上，然后带着他一起前进。

穿靴子的猫拼命地跑到马车前面。在一大片玉米田里，猫对农夫们说道："当国王的马车经过这里时，你们一定要说这片田属于克拉巴斯公爵。如果你们不这么说，我将会抓坏你们的眼睛！"农夫们害怕极了，马上答应了猫的要求。

猫继续往前跑，一直到城堡前才停下来。城堡的主

127

人是个可怕的食人魔。猫对食人魔说:"我一点儿也不怕你,人们都说你很厉害,可以改变自己的体形,可我觉得你只是个笨蛋!""你竟然说我是笨蛋?我要让你瞧瞧我的厉害。"食人魔咆哮着让自己越变越大,猫赶

紧躲到桌子底下。"你这只无知的猫,你可瞧见了我的厉害!"

"哦!现在我知道你可以变得很大,可你能变小吗?如果你能,

那才真的厉害！"

"哼！谁说我不能！"食人魔开始越变越小。不一会儿，他已经变得和猫爪子差不多大小了，而且神气地对猫说："你这只笨猫，现在该相信我很厉害了吧！""是的，我相信！"猫一边说一边以极快的速度扑向食人魔，一口就将他给吞到肚子里去啦！

国王的马车缓缓地经过猫刚才去过的玉米田。国王问正在劳作的农夫们："这块土地是谁的啊？"农夫们回答说："是克拉巴斯公爵的。"

"他一定非常富有。"国王暗自想着。走着，走着，他们到达了城堡。"这座富丽堂皇的城堡是谁的？"国王问道。猫已在门口等候多时，回答道："欢迎光临克拉巴斯公爵城堡！"

"你真是个富有的年轻人啊！我决定将女儿嫁给你。"国王说道。于是，年轻人娶了公主，在城堡中过着幸福的日子。

月亮 晚安！

美妙的音乐

文/武玉桂　图/程思新

小熊第一次进城。玩具大市场里真热闹，数不清的玩具让小熊看花了眼。

小熊也想买一件玩具。可是，他不知道该买什么。

卖玩具的大狼拉住小熊，大声叫嚷："买把大片刀吧？"说着，大狼挥舞着木头刀，喊了一声：

"杀！"

130

小熊吓了一跳，急忙
说："不要！不要！"

卖玩具的狐狸拉住小
熊，大声叫嚷："买支冲锋
枪吧？"说着，狐狸举起塑
料冲锋枪，冲小熊就是一
梭子：

"嗒嗒嗒……"

小熊吓了一跳，急
忙说："不要！不要！"

卖玩具的大鳄鱼拉
住小熊，大声叫嚷："买
个妖怪面具吧？"说着，
大鳄鱼戴上妖怪面具，
喊了一声：

"吓死你！"

131

小熊吓了一跳，急忙说："不要！不要！"

挑来拣去，在小鹿姐姐的柜台上，小熊
买了一个八音盒。一按开关，"叮咚、叮咚"，
八音盒响起了美妙的音乐。

回到家里，小熊和爸爸妈妈
围在温暖的火炉旁，一起听八音
盒唱歌。"叮咚、叮咚……"美妙的
音乐真好听！

月亮 晚安！

今天是猪警官第一次巡逻,他沿着青石板铺成的小路一边走,一边细心地打量街两边的店铺,看有没有什么可疑的情况。

从储蓄所门前经过时,猪警官一眼就瞅见了鳄鱼。鳄鱼戴着副遮掉半张脸的大墨镜,正把一捆捆的钞票往皮箱里装。

小·镇警官

文/武玉桂　图/季世成

猪警官掏出手枪,挡住了储蓄所的门,大声问柜台里的汪汪小姐:"有没有歹徒打劫?"

"没有,没有,"汪汪小姐说,"鳄鱼老板来取款,我在给他数钞票。"

"噢，这我就放心了。"猪警官把手枪放进皮套，又朝前走去。

在街心公园里，猪警官发现了新情况：两只大猫正在争夺一只小猫，终于，那力气大的猫先生从猫女士的怀中把小猫夺走了。

猪警官赶紧跑过去，问猫女士："他是不是抢走了你的孩子？"

"不是，不是，"猫女士笑着说："他是小猫咪的爸爸，每次上街，他总是抢着抱孩子……"

"噢，真是位好丈夫！"猪警官点点头。

后来，猪警官又遇到了一件事：邮局门前停着辆大卡车，黑熊躺在了车底下。"救人要紧！"猪警官以最快的速度冲上去，拽着双腿把黑熊从车下拖了出来。

"要不要送你上医院？"猪警官问。

"你误会了，"黑熊师傅笑着说，"我的车出了点儿毛病。"

巡逻了一整天，猪警官回到家里，他的八个孩子立刻围上来，抢着问：

? 想一想，如果生活中没有警察，会出现什么情况呢？

135

"爸爸捉到几个小偷？"

"爸爸遇见坏蛋没有？"

"爸爸……"

猪警官十分沮丧，他对太太和孩子们说："你们不知道警官的工作是多么无聊，或许，这小镇上本来就不需要警察……"

huà hái méi shuō wán tū rán zhū jǐng guān de shǒu jī jī hái yǒu jiā lǐ de wǔ bù diàn

话还没说完,突然猪警官的手机、BP机,还有家里的五部电

huà tóng shí xiǎng le qǐ lái

话同时响了起来:

"丁零零……"   "丁零零……"

"嘟嘟……"

chǎo nào de shēng yīn bǎ wū dǐng dōu kuài xiān diào le

吵闹的声音把屋顶都快掀掉了!

zhū tài tai hé bā zhī pàng xiǎo zhū bāng máng jiē diàn huà wā qíng kuàng zhēn bù shǎo xiǎo gǒu shāng

猪太太和八只胖小猪帮忙接电话,哇,情况真不少:小狗商

diàn fā shēng le dào qiè àn dài shǔ tài tai diū le hái zi shān yáng gōng gong mí lù le yǒu rén jiǎn

店发生了盗窃案!袋鼠太太丢了孩子!山羊公公迷路了!有人捡

dào le qián bāo

到了钱包……

zhū jǐng guān tuī kāi fàn wǎn yī biān cháo wū wài pǎo yī biān duì tài tai hé hái zi men shuō

猪警官推开饭碗,一边朝屋外跑,一边对太太和孩子们说:

nǐ men zǒng suàn zhī dào le wǒ de gōng zuò duō me zhòng yào xiǎo zhèn shàng méi jǐng chá zěn me xíng

"你们总算知道了,我的工作多么重要!小镇上没警察怎么行!"

睡前读儿歌

宝宝当警察

小汽车,
要开啦,
小宝宝,
当警察——
不让小汽车,
钻到床底下。
(张春明)

月亮 晚安!

137

亲子游戏

抓小偷

小狗的商店失窃了。可是，盗贼大狼已经逃走了。猪警官怎样走才能抓到这个小偷呢？

游戏目的:训练孩子注意稳定性。